La Casa de la Belleza

Melba Escobar de Nogales

La Casa de la Belleza

emecé
cruz del sur

Diseño de cubierta: departamento de Diseño Grupo Planeta
Fotografía de cubierta y de autora: © David Rugeles

© Melba Escobar de Nogales, 2015
© Editorial Planeta Colombiana S. A., 2015
   Calle 73 N.º 7-60, Bogotá, D. C.

Primera edición: febrero de 2015

ISBN 13: 978-958-42-4336-2
ISBN 10: 958-424336-5

Impreso por: Nomos Impresores

Y vuela vuela, por otro rumbo,
y sueña sueña, que el mundo es tuyo.

«Hoja en blanco», Los Diablitos.

1.

Odio las uñas postizas de colores extravagantes, las cabelleras falsamente rubias, las blusas de seda fría y aretes de brillantes a las cuatro de la tarde. Nunca tantas mujeres parecieron travestis o prostitutas disfrazadas de buenas esposas.

Odio el perfume excesivo de estas mujeres maquilladas hasta el punto de parecer cucarachas de panadería; además, me hace estornudar. Y ni hablar de sus accesorios, esos teléfonos inteligentes con forros infantiles, en colores como el fucsia con lentejuelas, imitaciones de piedras preciosas y figuritas ridículas. Odio todo lo que representan estas mujeres no biodegradables de cejas depiladas. Odio sus voces chillonas, impostadas, como si fuesen muñequitas de cuatro años, pequeñas putitas de traqueto embotelladas en un cuerpo de mujer erecta como varón. Todo es muy confuso, estas mujeres-niña-macho me perturban, me

agobian, me hacen pensar en todo lo que está roto
y estropeado en un país como este, donde el valor
de las mujeres está determinado por el tamaño de
sus culos, la redondez de sus pechos y la estre-
chez de su cintura. Odio también a los hombres
disminuidos, reducidos a su más primitiva versión, siempre buscando una hembra para mon-
tarla, para exhibirla como un trofeo, para canjearla
o para ganarse un estatus entre otros cromañones
de la misma ralea. Pero así como odio este universo
mafioso que desde hace más de treinta años pre-
domina en la estética del país, en la lógica de los
matones, de los políticos, los empresarios y de
casi todo el que tenga una mínima relación con
el poder, odio también a las señoras bogotanas,
entre las que me incluyo, pero de quienes lucho por
diferenciarme.

Odio esa costumbre de referirse como «indios»
a quienes según ellas pertenecen a un estrato bajo.
Odio esa manía de diferenciar entre el «usted» y el
«tú» dejando el «usted» exclusivamente para el servicio. Detesto el servilismo de los meseros en los
restaurantes, cuando corren apurados a atender a
los clientes y dicen «su merced qué quiere», «lo que
su merced guste», «como ordene su merced». Odio
tantas cosas y de tantas maneras, tantas cosas que
me parecen injustas, estúpidas, arbitrarias y crue-
les, las odio más cuando me odio a mí misma por
hacer parte de esta realidad inevitable.

La mía es una historia ordinaria. No merece la pena entrar en los detalles. Quizá vale decir que mi padre es un inmigrante francés que llegó al país por una licitación para construir una siderúrgica. Aquí nacimos mi hermano y yo. Aquí crecimos, como tanta gente de nuestra clase, comportándonos como extranjeros y viviendo en un país amurallado. En el norte de Bogotá, en el apartamento de la Ciudad Vieja en Cartagena, algunos veranos en París y una que otra vez en las Islas del Rosario. Mi vida no ha sido muy distinta a la que puede haber tenido una burguesa italiana, francesa o española. Aprendí a comer langosta fresca desde niña, a atrapar erizos; a los veintiuno ya diferenciaba un vino de Burdeos y uno de Borgoña, tocaba el piano, hablaba francés sin acento, conocía la historia del Viejo Continente tanto como desconocía la propia.

Hemos tenido que cuidar de nuestra seguridad desde que tengo memoria. Soy rubia, de ojos azules, 1.75 de estatura, algo cada vez menos exótico en el país, pero en mi niñez todo un haz bajo la manga para conseguir el afecto de las monjas y el trato preferencial de mis compañeras, así como un foco de atención que en el caso de mi padre se convertía en paranoia de un secuestro que por suerte nunca hubo en la familia. La riqueza y los rasgos anglosajones contribuyeron a mi aislamiento. Aunque últimamente tiendo a pensar que me he dicho eso siempre para ocultar que he sido yo quien por voluntad propia ha sido una exiliada de cuerpo y alma. No importa a donde haya ido, siempre estuve lejos.

A mi edad, la melancolía hace parte del paisaje interior. El mes pasado cumplí cincuenta y nueve años. Miro hacia atrás y hacia adentro, mucho más de lo que miro hacia el mundo exterior. En gran medida, por desinterés y porque no me gusta lo que encuentro afuera. Tal vez sea la misma cosa. Supongo que mi neurosis está implicada en esta lectura sórdida que hago de la realidad que me rodea, pero es algo inevitable. Como diría Octavio Paz, esta es «La casa de la mirada», mi casa de la mirada, y no tengo otra. Acepto mi naturaleza clasista. Acepto, más que acepto, abrazo mis odios. Acaso esa sea la definición de madurez.

Cuando me fui del país, todavía las madres cuidaban que sus hijas no mostraran las rodillas, ahora no se deja nada a la imaginación. Esa es otra de las cosas que me chocó cuando regresé. Sentía que los pechos de algunas mujeres me perseguían con su insolencia casi agresiva. De cualquier forma, nunca conseguí adaptarme a Colombia, y en Francia siempre fui una extranjera.

Más que irme a estudiar, huí a París. Allá me encontré cómoda por muchos años, me casé, tuve una hija, ejercí mi profesión, pero luego los años me cayeron como espinas y los recuerdos se deformaron en mi memoria, hasta el día que entendí que había llegado la hora de volver. Divorciada, con cincuenta y siete abriles a cuestas, con una hija de veintidós estudiando en la Sorbona, tuve que empacar mi vida en tres viejas maletas y emprender el camino de regreso sin ella. Aline habla el español con acento y cometiendo errores. Es bella. Delgada y altísima y con una preferencia por las mujeres sobre los hombres, que todavía no es claro si sea definitiva o pasajera. Tampoco me preocupa demasiado. Aunque sé que si la pobre viviera aquí, tendría que preocuparse o al menos aguantarse la moralina, incluso el matoneo social. Algo han cambiado las cosas, eso es cierto. Por lo menos ya se ven algunos extranjeros en las calles y hay más gente que piensa distinto. Aun así, más allá de mi amiga Lucía Estrada, con quien hemos vuelto a hablar luego de casi dos décadas, estoy bastante sola. Tampoco me hace falta nadie, en realidad.

«Colombia es Pasión», rezaba el cartel que me recibía en el aeropuerto. Y al otro día la prensa hablaba de quince muertos en una masacre al sur del país. Al mismo tiempo, esa pasión es la que me hace odiar con tanto fervor a unos y a otros. A las señoras Urrutia, Pombo y MacAllister que me invitan a tomar el té o a orar por alguna amiga enferma, o por los once niños muertos en el último derrumbe que tuvo lugar en el sur de la ciudad, a donde nunca han ido. Lo mismo odio a los porteros

que gozan negándole la entrada a todo el mundo, a
los escoltas que les echan la camioneta a los otros
carros, a los indigentes que arrancan los espejos en
los semáforos. Solo en mi trabajo vuelvo a reconci-
liarme con mi lado compasivo, ese que todavía no
ha sido alcanzado por la amargura.

A comienzos de 2013 conseguí un buen apartamento en la calle 93, cerca del parque del Chicó.
De regreso al país desempolvé algunas acciones
empresariales y pude comprar no solo el apartamento, sino también una tierra en Guasca, donde
pienso hacer una casita entre las montañas. En el
mismo apartamento instalé el consultorio y gracias a mis credenciales conseguí algunos pacientes en poco tiempo. Debo confesar que la mayoría
me resultan aburridos. Sus miedos suelen ser tan
predecibles, lo mismo sus complejos, censuras y
elaboraciones. Sin embargo, a falta de otras distrac-
ciones me sumí en la terapia. Por fortuna la ciudad tiene una oferta cultural bastante amplia, así
que de vez en cuando me anima ir a un concierto
o a alguna exposición, para lo que cuento con dos
tardes libres a la semana. Al final, un psicoanalista
gana más que suficiente y dada mi edad y mis condiciones no necesito trabajar demasiado.

Con el paso del tiempo, comencé a hacer caminatas en las tardes libres. Resulta imposible ir
al centro, sin tener que estar dos horas atascado
en el tráfico, por lo que he resuelto moverme solo

en el vecindario y hacerlo únicamente a pie. En unas de esas escapadas descubrí un par de librerías nuevas, una pastelería estupenda y un par de boutiques. Sin embargo, no sentía un particular deseo de probarme nada, pues mi cuerpo me resulta cada vez más desconocido. A menudo, me sorprende mi propia cara en el espejo, mis piernas desnudas son un mapa improbable, descolorido y olvidado.

Fue en una de estas andadas por el barrio cuando, curucuteando por la avenida 82, acabé comiéndome un timbal de chocolate con un capuchino en la pastelería Michel. Me sentí culpable, decidí caminar hasta la carrera 15 y luego regresar a casa, también a pie. A pocas cuadras, en una tarde clara de mayo, me detuve frente al edificio blanco de puertas de cristal, donde nunca había entrado. La Casa de la Belleza, se leía en letras plateadas. Me asomé, por simple curiosidad. Creo que fue su nombre lo que me atrajo. Me encontré con una primera planta cargada de productos carísimos para las arrugas, para hidratar, para adelgazar, para las estrías y la celulitis, cuando de pronto la vi a ella junto a la recepción. Tenía unos tenis blancos, un uniforme azul claro y una cola de caballo. Su larga melena negra azabache caía sobre su espalda. No importaban las ojeras, ni la expresión de cansancio, su belleza era firme, casi brusca. La muchacha derrochaba vida. Había algo en ella salvaje y bruto que la hacía parecer, cómo decirlo, verdadera. Aún no sé si era un logro de la disciplina y la vanidad o simplemente un don heredado. Nunca lo sabré. Karen es un gran misterio. Más aún en una ciudad como esta, donde todo el mundo se parece a lo que es y tiene escrito en el atuendo, en el hablado y en el lugar donde vive un código de conducta tan predecible como repetitivo. Me llamó la atención su figura de gacela, pero sobre todo una cierta placidez en la expresión de su rostro. Apostaría a que no hace nada en absoluto para verse así. Si hay algo que podría decir con solo mirarla, es que el sosiego hace nido en su alma.

Quizá porque me quedé ahí pasmada mirándola como si fuese una aparición, se acercó a preguntarme:

¿Necesita ayuda, señora?

Sonreía sin esfuerzo, como si al hacerlo expresara la gratitud de estar viva. Me sorprendía que nadie parecía percibir su hermosura. Era como si una orquídea de la más fina delicadeza cayera por azar en un charco de lodo. A su alrededor, mujeres entaconadas de falsas sonrisas. La niña de la recepción era un mamarracho de labios cereza y rubor exagerado. Ella no. Ella parecía elevarse sobre todo y darle un sentido al nombre de la edificación.

Gracias, sí, quisiera depilarme, dije entonces, como si no me depilara yo misma desde que tengo uso de razón.

Estamos bastante libres, ¿la señora quiere hacerlo ahora?

Sí, ahora está bien, respondí como hipnotizada.

Disculpe, ¿cuál es su nombre?

Claire. Claire Dalvard, dije.

Sígame, por favor, agregó. Y entonces la seguí.

2.

Desde bien pequeñitas las negras y las mulatas se alisan el cabello con la plancha, con crema, con secador, con píldoras masticables, se hacen la toga o la vuelta, se ponen mascarillas, duermen con medias veladas en la cabeza, usan un sellador de puntas de silicona. Tener el pelo liso es tan importante como usar un sostén, es parte imprescindible de la feminidad, y hay que hacer lo que hay que hacer, armarse de valor, llenarse de pinzas metálicas, y estar dispuesto a aguantar tirones y a pasar horas en esa cuestión que es dispendiosa e incómoda, pero también necesaria si quieres conseguir el lacio perfecto, dice Karen con su voz de tambor.

¿Y las niñas pequeñas, ellas también tienen que hacer eso?

Muy pequeñas, no, pero ya señoritas, o sea de ocho, nueve, ya ahí sí todas con su cabello liso, cómo no, dice retirando las vendas.

Karen me dijo que al llegar le gustó la ciudad. Y sí. Para muchos, es bella. Precisamente por esa tristeza leve que la caracteriza y que a veces se rompe con una mañana soleada de domingo tan radiante como inesperada.

Dejó a su niño de cuatro años con su madre en Cartagena y se vino a Bogotá. Una colega suya había montado un centro estético en Quirigua y le ofreció trabajo. Le prometió a su mamá que mandaría plata mensual para Emiliano, cosa que ha hecho. Su madre vive en una casa del barrio San Isidro, con el tío Juan, que es solterón y achacoso. Ambos subsisten principalmente de una pensión del tío, por sus treinta años trabajando en la oficina de correos, y de las remesas que ella manda.

Karen creció escuchando vallenato, bachata y más tarde champeta. Su madre, apenas dieciséis años mayor que ella, fue una vez la reina del barrio, con lo que pensó que saldría de pobre, pero terminó preñada de un rubio que poco hablaba español y del que supuso era un marinero. Con esa visita furtiva del amor, nació la mulata que compartía con su madre no solo el apellido, sino también la belleza y la escasez.

Doña Yolanda Valdés vendió chance, fritanga, fue empleada doméstica, copera en un bar del centro y finalmente se dedicó a cuidar a su nieto, a aguantarse la artritis y a lamentarse por haber parido hembra en vez de varón. A sus cuarenta años era casi una anciana.

Los amoríos de doña Yolanda le habían causado dos embarazos más, en ambas ocasiones de varones, con tan mala suerte que uno nació muerto y el segundo falleció a los pocos días de nacido. Yolanda Valdés decía que las mujeres de su familia estaban rezadas. Una especie de maleficio caía sobre ellas cuando menos lo esperaban para someterlas a la soledad como único destino.

Karen recuerda la misa de las siete de la mañana los domingos y el despertar con el canto de los canarios. Recuerda el sancocho de pescado de los morros y la piel tirante y la vista mareada de luces blancas cuando dejaba su cuerpo flotar por largo rato. Con el paso del tiempo, el ritual de encerrarnos en esa cabina en soledad, cobijadas por su juventud, su cadencia de mar, el vigor de su mano firme y suave, se convirtieron para mí en una necesidad tan feroz como el hambre.

Desde la primera vez que la vi, quise saber quién era. Con delicadeza, casi con ternura, la fui colmando de preguntas mientras ella pasaba las yemas de sus dedos por mi espalda. Fue así como supe que llegó a Bogotá en enero de 2013, durante la temporada de sol. Primero se instaló en Suba, en el barrio Corinto, donde una familia alquilaba un pequeño apartamento con baño y cocineta por trescientos mil, incluidos los servicios. Ganaba el mínimo.

A fin de mes no tenía un peso extra, ni podía mandar nada a la casa, sin contar que el barrio era inseguro y Karen vivía con miedo. La madrugada en que un borracho les disparó a dos personas por estar obstaculizando la vía pública en una celebración familiar, Karen decidió buscar otro lugar dónde vivir.

Se fue a Santa Lucía, al sur, cerca de la avenida Caracas, pero ahora tenía que atravesar toda la ciudad para llegar al salón donde trabajaba.

Cuando su colega le comentó que estaban buscando a alguien en un centro estético muy exclusivo en el norte, Karen consiguió una entrevista. Fue a comienzos de abril. La ciudad sucumbía entre aguaceros. Karen llevaba apenas un par de semanas en la nueva casa y presentía que el diluvio podía ser una señal de abundancia.

La Casa de la Belleza está ubicada en la Zona Rosa. La edificación blanca sugiere desde afuera un aire de limpieza y sobriedad, mezcla de clínica dental y boutique de moda. Al atravesar sus puertas de vidrio se encuentra uno en medio de una tierra de mujeres. La recepcionista, detrás del mostrador, saluda con su mejor sonrisa. Varias empleadas uniformadas, maquilladas, peinadas y sonrientes ofrecen cremas, perfumes, sombras y mascarillas de las mejores marcas, ubicadas en el almacén que está en la primera planta. Las pilas de revistas se amontonan en la mesita de centro de la sala de espera.

Karen recuerda haber llegado un cinco de abril a eso de las once y treinta de la mañana. Tan solo cruzar el umbral de las puertas de vidrio, un aroma a vainilla, almendras, agua de rosas, laca, champú y lavanda, impregnó su piel.

La recepcionista, a quien ya tendría tiempo de conocer mejor, le pareció una muñeca de porcelana. La nariz respingada, los ojos grandes y los labios redondos de color cereza. ¿Qué labial usará?, se preguntó mientras se dirigía a la sala de espera.

Al fondo hay un espejo grande y dos sillas de peluquería donde un par de mujeres hacen depilación de cejas, maquillaje y prueba de productos. Todas llevan pantalón azul claro y blusa de manga corta del mismo color. Parecen enfermeras, pero a diferencia de ellas, van bien peinadas y pintadas, tienen las manos impecables y cintura de avispa. Una tiene un tono de bronceado perfecto; en un botón que lleva puesto en el pecho se puede leer su nombre: Susana.

La aseadora lleva un uniforme también azul, pero de un tono más oscuro. Se acerca y le ofrece una agüita aromática. Karen acepta. Ve entrar a esa cantante de tropipop conocida como Rika. Es morena, voluptuosa, con un bronceado envidiable y posiblemente más años de los que aparenta. Lleva puestas unas gafas de sol a manera de diadema, un anillo dorado en cada dedo y muchas pulseras. Al igual que ella, se presenta en la recepción y se sienta a su lado con una revista.

La espera doña Fina, puede pasar, anuncia la recepcionista.

Gracias, dice Karen, tratando de impostar la «s» y la «r» para ocultar su acento.

Sube por una escalera en caracol. Pasa de largo la segunda planta para seguir al tercer piso. A mano derecha, cuatro puestos de pestañas, tres de uñas. En medio, cuatro cabinas y, al fondo, a la izquierda, la oficina de doña Josefina de Brigard. Karen se acerca a la puerta entreabierta y escucha una voz del otro lado que la invita a seguir. En medio de una sala cálida, con claraboyas que dejan ver una mañana luminosa, una mujer de edad indefinida con zapatos de tacón bajo, pantalones caqui, blusa *beige* y collar de perlas, con el *blower* impecable y un maquillaje sutil, le da la bienvenida.

Siéntese, le dice con voz grave.

Doña Josefina la mira caminar hasta la silla que se encuentra al otro lado del único escritorio en la habitación. La escanea de arriba abajo, con sus ojos verde pozo y alzando ligeramente las cejas.

Luego deja perder su mirada en los ojos de Karen, quien agacha la cabeza.

Déjeme ver las manos, le dice.

Karen se las acerca, en una súbita regresión a la escuela primaria. Pero doña Josefina no saca la regla para reprenderla, simplemente deja que la mano de la muchacha descanse sobre la suya un momento; se pone las gafas, la examina con curiosidad, repite la operación con la mano izquierda y luego le pide que se siente.

Ella, en cambio, se pasea por la sala. «Si tuviera esa edad y esa figura, tampoco me sentaría», piensa Karen.

¿Sabe cuántos años tiene La Casa de la Belleza? ¿Veinte?

Cuarenta y cinco. Para entonces ya tenía a mis tres hijos. Con decirle que ahora soy bisabuela.

Se fija en su cintura, envuelta delicadamente en un cinturón de cuero de culebra. Las uñas rosa pálido. Los ojos almendrados, los pómulos salientes tienen aspecto de ópalo, pálido y perlado. La mujer que tiene en frente hubiera podido ser una estrella de cine.

La Casa de la Belleza y mi familia son todo lo que tengo. Por lo mismo soy exigente y no hago concesiones.

Entiendo, dice Karen.

Sí, chinita, tienes cara de entendida. Pasaste de un centro exclusivo en Cartagena a uno corriente en Bogotá. ¿Por qué?

Porque gano mejor aquí que allá, o al menos eso pensé cuando dejé la Costa.

Siempre el dinero…

Tengo un niño de cuatro años.

Todas lo tienen.

¿De cuatro años?, dice Karen sin pensar.

Veo que no le falta sentido del humor, dice doña Josefina regresando al usted de forma abrupta. Este es un buen lugar para las mujeres serias y discretas, dispuestas a trabajar doce horas diarias, que hagan bien su trabajo y entiendan que la belleza requiere de un profesionalismo absoluto. Teniendo en cuenta que tiene garbo, estoy segura de que puede llegar a irle muy bien aquí. Verá usted: las clientes pueden tener dinero, algunas muchísimo dinero, pero a menudo son tremendamente inseguras de su feminidad. Todas tenemos miedo y, a medida que empezamos a envejecer, ese miedo aumenta. Es por eso que en la Casa las mujeres debemos ser excelentes en nuestro trabajo, pero también cálidas, comprensivas y saber escuchar.

Entiendo, dice Karen automáticamente.

Claro que no entiende, niñita. No tiene edad para entender.

Karen calla.

Entonces, como iba diciendo, no se les contesta a las clientes; si quieren conversar, se les conversa; si quieren callar, nunca debe ser usted quien inicie una conversación. Pedir propina o favores de cualquier índole son razón de despido. Contestar al celular en horas de trabajo es razón de despido.

Ausentarse del centro sin autorización previa es razón de despido. Llevarse cualquier implemento sin autorización es razón de despido. Las vacaciones se dan después del primer año, las pensiones y la salud corren por cuenta de ustedes. Lo mismo las vacaciones, que son realmente un permiso no remunerado, jamás pueden exceder las dos semanas contando días feriados. Las limas, cremas, aceites, espátulas y demás implementos van por cuenta de ustedes.

¿Puedo preguntar cuánto es el sueldo?

Depende. Por cada servicio, ustedes reciben el cuarenta por ciento. Si tienes éxito y las clientes piden muchas citas contigo, al cabo de un par de meses podrás ganarte un millón, incluyendo las propinas.

Acepto.

Doña Josefina deja escapar una sonrisa.

No tan rápido, chinita. Esta tarde hago dos entrevistas más.

A Karen le llamaba la atención cómo una mujer elegante y de apariencia educada podía pasar tan fácilmente del tú al usted, sin respetar regla alguna.

Solo quiero decirle que estoy muy interesada, agregó optando por permanecer en el usted.

En un par de días te daremos respuesta.

Cuando Karen iba saliendo, doña Josefina la detuvo:

Y otra cosa, a quién no le gusta el acento costeño. Déjalo quieto, a nadie, ni en este país ni en ningún otro, le gusta como hablamos los cachacos.

Al cabo de una semana, Karen hacía parte de La Casa de la Belleza. «Si hubiese estado en la sección de cejas, maquillaje y pestañas, habría tenido dificultades para competir con Susana», me dijo entonces. Como cada una tenía su fortaleza, pronto se convirtió en la reina de la segunda planta. Le asignaron la cabina número tres, donde haría limpiezas faciales, masajes y depilaciones. Su belleza, mezclada con su prudencia y profesionalismo, la hacían una de las favoritas, especialmente para las depilaciones. Descubrió que cuando las bogotanas venían por el bikini completo, casi nunca era por decisión propia. Iban porque el marido se los pedía, o el novio, o el amante. Me contaba de sus clientas y de las otras colegas de la Casa. Fue así como apareció en la conversación el nombre de Sabrina Guzmán.

Karen sabe quién tiene un lunar de nacimiento en la cadera, quién sufre por las varices, quién tuvo problemas con sus prótesis mamarias, quién está por separarse, quién tiene un amante, a quién le ponen los cuernos, quién viaja a Miami por el puente, a quién le diagnosticaron cáncer la semana pasada y quién se hace masajes diarios para reducir cintura sin decírselo a su marido.

Aquello que se confiesa en la cabina no sale de ahí, tal como ocurre en el diván. Como el terapeuta o el confesor, la esteticista tiene un voto de silencio.

La camilla se le parece al diván. Es ahí donde la mujer tiende su cuerpo indefenso, en un gesto de entrega. Obedeciendo al mensaje de «Descanse, apague su celular», entra a la cabina dispuesta a desconectarse por un rato. Quince minutos, media hora, quizá más, estará aislada del mundo, únicamente conectada a su cuerpo, al silencio y, a menudo, a la conversación íntima, donde van apareciendo confidencias, pocas veces compartidas, siquiera con los más cercanos.

Sabrina Guzmán llegó un jueves en medio de un chaparrón apestando a aguardiente, con el pelo emparamado, el uniforme del colegio y apenas media hora antes del cierre. Le explicó que el novio la invitaba a una cena romántica con remate en un hotel cinco estrellas. Hasta donde entendía, era el mismo novio que en dos ocasiones anteriores había venido a coronarla, pero se había ido sin hacerle los honores, por no estar pelada como una manzana, según le argumentó la cliente.

Venía a Bogotá por dos días, así es debía aprovechar. No le explicó aprovechar para qué, pero Karen asumió que se refería a aprovechar para desflorar a la muchachita. Fue una tortura para las dos. Sabrina, su cliente, se quejaba demasiado y cuando Karen vio salir unas gotas de sangre, tuvo una oscura premonición.

Cuando la muchacha se va, Karen se queda mirando esa chispa de sangre sobre el cobertor de la camilla y se pregunta cómo quitarla. Intenta con agua, jabón, amoniaco, pero apenas si logra difuminar la mancha a un rosa pálido que habrá de acompañarla por el resto de sus días en la Casa.

3.

Recordará el nombre de pila del amante de su cliente un par de días después, cuando hallen el cuerpo sin vida de Sabrina Guzmán. En una nota breve, se limitaban a decir que la muchacha de diecisiete años, estudiante del Gimnasio Femenino, había fallecido por un aneurisma, y que las exequias tendrían lugar ese mismo 24 de julio en la Iglesia de La Inmaculada Concepción, a las doce del día.

Si bien en La Casa de la Belleza no tenían permiso para salir, Karen sintió la urgente necesidad de ir. Se metió al baño, se quitó el uniforme, se puso los *blue jeans* entubados, la camiseta blanca, y tomó prestado el *blazer* negro con el que Susana había llegado a trabajar esa mañana.

Salió al día lluvioso con su paraguas de cinco mil pesos. Entre los pitos de los carros avanzó brincando charcos hasta llegar a la carrera 11, donde abordó una buseta destartalada. Una vez dentro, cerró el paraguas, abrió su monedero, pagó el pasaje y se fue hacia la parte trasera, apretada entre las nalgas calientes de los hombres y el olor a pachulí de las mujeres con el pelo largo y mal teñido. Al pegar la mano a la barra pensó, como cada vez que se subía a una buseta, que nada le producía tanto asco como el contacto de su mano con esa textura del metal grasiento y pegajoso.

Seguía entrando gente. El pecho de un hombre barrigón se pegó contra el suyo. Era alto, tanto que, al alzar la mirada, Karen veía su papada morena sobre su cabeza.

Un niño de unos once años se subió a vender mentas. Dijo ser desplazado del Tolima. Dijo tener cuatro hermanos. Dijo ser «jefe del hogar». Karen escarbó en su monedero y le alargó quinientos pesos antes de timbrar la parada. El conductor se detuvo abruptamente y ella alcanzó la calle de un salto.

Antes de entrar a la iglesia paró en un almacén de cadena. Quería arrancarse el olor a suciedad. Se aplicó un perfume de prueba, Chanel No. 5. Se miró en un pequeño espejo ubicado entre unos coloretes, se arregló el pelo con los dedos, sacó el pintalabios del bolso, lo aplicó con cuidado y continuó su camino.

Al llegar a la iglesia, avanzó entre la multitud hacia delante, como si la transportara una cinta eléctrica. En la cuarta o quinta fila encontró un espacio libre. Frente a sus ojos estaba el féretro cerrado. Karen pensó que muy pocas personas podrían recordar el cuerpo como lo hacía ella. Los dedos de los pies largos y delgados. Las venas marcadas a la altura de las pantorrillas. Recuerda las pecas en los hombros estrechos, la nariz recta, los ojos inmensos y los labios finos y de pronto se le ocurre pensar que Sabrina era bella, quizá de una belleza gris como la de esta ciudad, pero a la vez discreta y llena de secretos.

La tristeza llegó como una ola en medio de un mar quieto. Por un acto reflejo, apretó el puño para no llorar. Pensó en la pestañina regándose por sus mejillas y en la gente preguntándose quién sería esa intrusa que lloraba a la muerta con la cara negra. Pensó en el esfuerzo que habían hecho ambas hace apenas un par de días para dejarla como una manzana o como una niña. Recordó que estaba en la iglesia y sintió vergüenza. Solo entonces se fijó en el hombre que tenía a su lado. Estaba segura de haberlo visto antes. Era un personaje famoso. Por un momento cree haberlo visto como presentador de farándula en el noticiero de la noche, pero luego piensa que está muy añoso para eso. Ahora lo recuerda. Es el autor de *La felicidad eres tú* y *Me amo*. Ya para ese momento Karen sonríe. Cuatro años atrás, antes de que su vida diera el vuelco que dio al nacer Emiliano, Karen hacía primer semestre de Trabajo Social en la Universidad de Cartagena.

Por boba, piensa ahora, aunque no sea mucho menos boba que entonces, por mojigata, aunque lo es todavía, le pasó lo que le pasó. Y es que el profesor de Habilidades del Pensamiento hablaba tan bonito. Y sí, era viejo, mucho más viejo que ella, que apenas acababa de cumplir los dieciocho años, pero para ella era un sabio, un iluminado. El profesor Nixon Barros tenía el tumbado de los hombres caribeños. Y hablaba bonito y se reía con las tripas. Todo eso la sedujo; parecía hipnotizada mirándolo hablar. Nixon no tenía miedo a la ternura. A ella le pareció que era un hombre de verdad. Le gustaba su pelo ensortijado, el sudor que le cubría la frente sin que a él pareciera importarle, esas guayaberas que siempre le quedaban demasiado grandes y el aroma de su colonia.

Con el profesor Nixon conoció el mercado de Bazurto y tuvo su primera borrachera en el Goce Pagano. Fue casi un año de volarse de clase y guardar un secreto que la hacía sonrojar. Karen siempre supo que el hombre era casado por segunda vez, que tenía su mujer más joven que él y un niño. Pero el día que ese hombre se inclinó para besarla, Karen no se paró a pensar en el príncipe azul que su mamá tenía en mente para ella, ni en que era negro, o viejo, o casado, solo cerró los ojos y despegó los labios con abandono.

Con el paso de los días, era tal su alegría, su encoñe, su locura, que Karen se dedicó a pensar no más que con la piel.

Se dejó desvirgar en una calle oscura de Getsemaní y se siguió dejando donde y cuando se pudiera, cada vez con más gusto y más entrega, por los tres o cuatro meses siguientes, mientras Nixon Abelardo Barros le hablaba de tanta cosa que a ella le embriagaba la cabeza. Por él, Karen leyó *Cien cepilladas antes de dormir* de Melissa Panarello, *El segundo sexo* de Simone de Beauvoir, *Cartas de amor de un profeta* de Coelho y *Así habló Zaratustra*, entre otros libros que acabaron por despertar en ella una caótica revolución. Fue entonces cuando comenzó a mirar distinto a las mujeres de cejas depiladas y a dejarse crecer pelo en las axilas como una expresión de libertad. «No estoy en este mundo para complacer al hombre», le respondió a su mamá cuando le preguntó qué hacía con esa cresta saliéndole de los sobacos. «No joda, niña, compláceme entonces a mí», había dicho doña Yolanda, quien era capaz de ayunar si el dinero escaseaba, pero jamás dejaría de ir a la peluquería.

Su madre le apostaba a la belleza de Karen como la mejor manera de salir de pobre. Solía decirle a su hija que si ella hubiera estado presentable esa mañana en la que el gringo la pilló ojerosa y desgreñada, no la habría dejado así «chiflando iguanas». Según entendía, su padre era un poeta, un artista, un viajero, aunque a menudo Karen intuía que su mamá inventaba cosas, pues lo mismo un día le decía que era un coplero de Sincelejo, un boxeador de Turbaco, o un marinero inglés, versión que a Karen le gustaba más que las anteriores.

Era una adolescente larga y flaca y su madre la alimentaba lo mejor que podía, aunque solo le viera crecer los huesos. Por más que todas las mañanas alistara el asador para hacerle un revoltijo de huevos con suero, arroz, frijolito, yuca y pescado, la niña solo se estiraba hacia arriba. Para Karen, la felicidad estaba en ese desayuno con juguito de mora en el patio de la casa, cuando la bulla de los picó ya había cesado y la calle del Pirata ya no era más ese tronar de melodías en continua competencia entre vallenato, reguetón, champeta y rancheras, la misma guerra todos los fines de semana, con los niños pateando el polvo descalzos en la calle y los primos trayendo canastas de Costeñita helada para beberla frente al portal de la casa, mientras unos bebían acomodados en unas sillas Rimax, y el tío Richard en su mecedora, siempre callado, siempre serio, con los ojos enrojecidos por las pocas horas de sueño y la sonrisa menesterosa, la miraba con cariño alcoholizado.

En su rebeldía, Karen se había dejado los rizos salvajes que le había dado la naturaleza. Pero con el tiempo, la cantaleta de su madre y los estudios de estética, no solo se cansó de explicar por qué prefería dejarse sus rulos naturales, sino que se volvió una experta en pelo liso. «Ahora no te vas a dejar preñar en primer semestre», le había dicho su primo.

Para su familia, sus amigas y la gente que conocía, acostarse con un hombre con condón era recibir trato de prostituta. «Si hay amor, no hay condón», recitaba doña Yolanda. Esa sentencia la complementaba con una de sus tantas supersticiones: «Cuando un hombre diga que te quiere, mírale la pupila. Si se dilata, miente». Nixon le había dicho que la quería y su pupila se habían quedado igual. Pero más allá de eso, Karen confiaba en él.

Nixon no era otro negro que solo hablaba de plata, de carros, de mujeres, como si fuesen ganado. Nixon no andaba lleno de cadenas de oro, su obsesión no era la champeta o los conciertos de Rey de Rocha. A Nixon le gustaba la poesía, como a su papá, pensaba Karen, aunque en realidad no supiera nada de su papá, y entendía que ella prefiriera hacer una carrera en la universidad antes que concursar en los reinados distritales de fin de año.

En ese primer semestre, además de presentar exámenes y hacer trabajos, Karen probó la marihuana, la salsa clásica, pero sobre todo el sexo, a la hora y en el lugar que fuera; encontró que podía volver a un estado primitivo en el que se sentía a gusto. Aprendió a entrar en una especie de trance, casi siempre con Nixon, pero otras veces con la ayuda del masajeador de pies del tío Juan, las bolas chinas que guardaba su madre en el cajón de la cocina o su propia mano.

Para Karen, la lectura de *Me amo* le permitía mantener la culpa de sus actos a prudente distancia, o al menos distraerla con los argumentos de un libro sustentado en el hedonismo. Mientras lo leía comenzaron las náuseas matutinas, las tetas hinchadas que le dolían al menor roce, el sueño y la fatiga. Iba por la mitad del libro, cuando decidió hacerse la prueba un domingo por la mañana.

Mierda, se oyó decir. Tenía diecinueve años recién cumplidos.

Su madre le dejó de hablar por unas semanas hasta una tarde sofocante en que Karen escuchó la moto mientras estaba tirada en la cama ojeando una revista vieja con los rulos en la cabeza.

¿Cuál es tu plan, quedarte tirada todo el día mamando sol?

Le di de comer al tío, dijo Karen.

Ponte a hacer algo, que estás preñada pero no enferma. O te pones a hacer lo que yo te digo o te me vas de aquí.

Del ruido que dejaron las lecturas de esa época, el que más la acompañó y leyó hasta el día antes de dar a luz fue *Me amo*, aunque ya no sentía que su mensaje estuviese dirigido a ella.

Quien estaba junto a Karen esta mañana soleada en el sepelio de Sabrina Guzmán era ni más ni

menos que el autor de su libro de cabecera, Eduardo
Ramelli. El maestro debía estar por encima de sus
sesenta, bronceado, con un color canela parejo, los
ojos azules, el pelo canoso, bien cuidado, pegado
con gomina hacia atrás, como los galanes de antes.

Chanel No. 5, le oyó susurrarle al oído.

Karen calló, no porque no supiera que el autor
de *La felicidad eres tú* llevaba puesto 1 Million de
Paco Rabanne, ni porque no quisiera seguirle el
juego, sino porque la garganta se le había cerrado.
Ramelli dejó ver su sonrisa de medio lado con la
mirada fija en el cura, pero consciente de la delicada presencia a su lado.

¿Cómo te llamas?, le preguntó después de la
eucaristía. Un «shhhh» extendido y grave acabó
con sus esfuerzos por sacarle una palabra. Al cabo
vino el consabido «podéis ir en paz» anunciando
el final de la misa. En las dos primeras filas estaba
la familia más cercana. Una mujer lloraba desconsolada abrazada a un niño de unos nueve años.
Sonó la organeta y un coro desafinado cantó el *Ave
María*, mientras los asistentes empezaban a abandonar la iglesia. Karen alcanzó el pasillo para buscar la salida. Sintió el olor de Ramelli a sus espaldas
por un par de metros hasta que lo perdió cuando
lo interceptaron dos mujeres altas. Su atención
se centró en las señoras con peinados esponjosos
como claras batidas a punto de nieve, en sus sas-
tres de muchos hilos y en sus cuerpos secos. Todas

tenían paraguas, y algunas un conductor que las esperaba afuera, algún guardaespaldas con una voluminosa sombrilla que entregaba a su patrona a la salida para que fuera a su paso esquivando los charcos sin sobresaltos, mientras el servicio corría bajo la intensa lluvia para alcanzar el mismo carro donde se subirían, la señora atrás, el servicio adelante.

Al cruzar la cien, la aturdieron los pitos de bocina, el humo de exosto, las busetas verdes y viejas como el hambre de los que piden limosna, los mancos armados de limpiavidrios a la caza de monedas, los desplazados con sus cartulinas sucias donde invariablemente escriben la leyenda de un pueblo desaparecido, la historia de una masacre con errores gramaticales, con el mismo marcador, casi siempre negro, con la letra de una persona que apenas acabó tercero de primaria, con el pulso débil y el andén de concreto como único apoyo, para luego instalarse en la misma esquina de cada día a buscar la esquiva compasión de los conductores. Algunas mujeres, casi siempre negras o indígenas, con los hijos colgándoles del pecho o la espalda, sostenían la criatura en una mano, la cartulina en la otra, el tarro para recibir monedas debajo del brazo, en un equilibrismo lastimero siempre atento al cambio de luz.

Al ponerse en rojo, mendigos, desplazados, forajidos, drogadictos, tullidos, saltimbanquis,

desempleados, analfabetas, maltratados, mutila-
dos, niños y mujeres preñadas asaltan los vehículos
en un performance diario tan repetitivo y predecible que ya a nadie sorprende. O a casi nadie. Quienes perciben esta realidad con razonable angustia
suelen ser los recién llegados a esta tierra cuyos
cerros se enseñaban a los estudiantes bartolinos
en los años setenta, «delimitaban los confines de
la civilización».

A esta zona montañosa, casi siempre fría, cada
día llegaban más personas provenientes de todas
las regiones del país. Karen pensó que ella era una
de esas personas. Como los vendedores de mango,
compradores de chatarra, recolectores de huesos,
malabaristas y pedigüeños.

Pero lo que más le impresionaba no era tanto
el despliegue de profesiones nacidas del hambre,
como lo rutinario que resultaba todo. Veía a esas
mujeres en sus camionetas blindadas, siempre
subiendo el vidrio cuando alguien se les acercaba
alargando el brazo. Este gesto, como tantos otros,
parecía parte de un manual que todos habían leído,
en un territorio donde los vigilantes, los alambra-
dos y los perros embozalados dibujaban el paisaje
cotidiano.

Cuando llegó, le tiraban las piernas. Tenía las
manos frías. Subió corriendo al segundo piso y se
cambió tan rápido como pudo. Estaba lista para

entrar en cabina cuando sonó un golpe seco en la puerta del baño.

¿Sí?, dijo amarrándose los cordones de los tenis.

Doña Fina te quiere hablar, le dijo una voz al otro lado.

Ya voy, respondió y se miró en el espejo para acomodarse la cola de caballo antes de salir. «Eso me pasa por irme a donde nadie me ha llamado». Justo cuando ya comenzaba a acercarse al anhelado millón, justo ahora se iba a hacer echar por cuenta de una cliente a la que apenas conocía. Doña Fina la esperaba con la puerta entreabierta.

¿Quería hablar conmigo?, preguntó.

Siéntese, dijo doña Josefina con sequedad.

Karen la escudriñaba sin encontrar una clave de lo que vendría. Tenía la ceja izquierda ligeramente elevada.

Karencita, supe que te ausentaste del trabajo sin mi consentimiento en horas laborales, comenzó. Quiero que sepas que a mí nada se me escapa y que incluso cuando no estoy en la Casa tengo mis informantes. ¿Oyes, chinita?

Sí, señora.

Ahora bien. Para probarte lo enterada que ando de las cosas, te contaré dónde estuviste: fuiste a las honras fúnebres de esta muchachita llamada Sabrina Guzmán. ¿Quieres saber cómo lo supe? Esta mañana llamó la madre de la muchachita, dijo que ella frecuentaba este lugar y que pensaba que había estado aquí antier. No sabía quién la atendía y por eso buscamos en la libreta de citas. Fue así como supe que habías perdido una clienta. Recibe mi más sentido pésame, chinita.

Apenas si la vi unas dos o tres veces.

Cuatro, para ser exactos, respondió doña Josefina. ¿Y qué sabes de ella?

No mucho, doña Fina, era una adolescente normal.

Ay, chinita, como si eso existiera, respondió doña Fina. Es mejor que entiendas que, si se abre una investigación, la Policía te va a hacer las mismas preguntas, más vale que sepas responder. ¿Estás segura de que pasaron una hora en la cabina y esta muchachita no te dijo nada de a dónde iba? ¿Qué se hizo?

Lo usual.

¿La cera?

Eso.

¿Y el bikini?

Sí, señora.

¿Completo?

Sí.

¿Estás segura de que no sabes con quién se iba a encontrar? Mira que esa persona bien podría tener que ver con su desaparición.

En ese momento Annie se asomó de repente:

Perdón interrumpir. Karen: tú cita ya te está esperando.

¿Me puedo retirar, señora?

Vete ya, pero mejor será que no hables de esto con nadie. Te pones a contar que una cliente tuya se murió después de una cita y nadie vuelve a pisar tu cabina.

Permiso, agregó Karen preguntándose si doña Fina hablaba en serio y salió entrecerrando la puerta a sus espaldas; a medio camino se detuvo y se dio la vuelta:

Perdone, señora, pero si la niña ya está enterrada. ¿Ahora qué es lo que van a investigar?

Yo qué voy a saber, dijo doña Josefina con gesto displicente. Y ahora ciérreme esa puerta, que tengo asuntos importantes que atender.

4.

Con el paso de los años, Eduardo lloraba cada vez con más facilidad. Lloraba en una película romántica, al ver cómo su pelo se quedaba en la almohada, al notar sus problemas de erección. Y no hacía mucho tiempo había llorado, y cuánto, cuando al fin, luego de un Viagra y mucha concentración, logró estar con una mujer. Lo peor de todo es que lo supe porque él mismo me lo contó. Mi consuelo es que hasta donde sé, mientras estuvimos casados nunca llegó a llevarlas a la casa, o eso prefiero creer. Le gustaba especialmente una negra llamada «Gloria», que no debía tener más de veinte años. Ay, los veinte años, pensé al verlo con ella en la terraza de una marisquería en la 77. Fue una casualidad. Justo ese día había ido a una cita al dermatólogo y de regreso había resuelto caminar. Los vi de lejos. Yo iba por la acera de enfrente. Él oprimía y liberaba la palma de su mano, en un gesto de seducción tan viejo que en su momento le dio resultado conmigo. Supe el nombre de la muchacha porque un día usé su computador y abrí una carpeta llamada «Gloria», donde encontré las imágenes. Como otras veces, me callé. Al fin y al cabo no podía culparlo de irse a buscar a la calle lo que yo había dejado de darle hacía tanto tiempo. Me dolía más su egoísmo, su falta de interés por mí y el hecho de haberme dejado sola. Lo de la moza me afectaba menos. Desde hacía años había venido perdiendo el deseo gradualmente, cosa que con la menopausia se terminó de empeorar. Pensaba, si él necesita sexo, que vaya y lo consiga donde se lo ofrezcan. Pero que al menos me haga compañía, que al menos se interese en mis cosas, aunque la verdad es que ya ni sé cuáles vendrían siendo mis cosas, pues desde hace años me había ido concentrando cada vez más en él.

Ese día, cuando los vi con las manos entrelazadas rozando un coctel de langostinos, me acababan de diagnosticar vitíligo, lo que me faltaba, pensé. Me aguanté las ganas de echarme a llorar delante de esa lámina de doctor que me miraba con lástima. Pero sí era un coca colo, más de treinta años no debía tener.

Salí calladita, tranquila, dije, me voy caminando a la casa, primero paso por Pomona, mientras pensaba que el diagnóstico explicaba el extenso mechón de pelo blanco que me había nacido un par de meses atrás arruinando mi negra cabellera, lo mismo la mancha en el tobillo y en la mejilla izquierda. Estaba achicopalada, no voy a decir que no. Y preciso vengo a ver a mi marido con esa escultura de ébano, a quien ya había tenido oportunidad de ver en cueros. Era demasiado. Una humillación pagada con otra humillación. Y lo peor de todo es que tampoco me importó. No sé qué será. Si la menopausia o la costumbre de vivir en desgracia, lo cierto es que seguí en ese estado de inercia vegetativa de la que ya pensaba que no me curaría jamás, hasta mi reencuentro con Claire.

Fue ella quien vino para devolverme algo de la energía perdida. En el colegio no éramos muy amigas. Mi papá era más respetable como psiquiatra que adinerado y vivíamos en mundos distintos. Claire era bellísima, altiva, orgullosa, de buena familia, sobresaliente en todo, yo era una más, pero encima con un pelo espantoso color sopa y unas gafotas horrorosas. Nos unía la cercanía que cada una tenía con la hoy esposa del ministro del Interior. Para mí, Claire era una mujer sofisticada, de un mundo bien distinto al mío. Pero fue tan querida cuando nos vimos hace unas semanas, la noté tan amorosa y la sentí tan sola, que nos vimos una segunda vez hace unos cuatro o cinco días y nos tomamos una cantidad inaudita de whiskies. Confieso que nunca antes me había tomado un whisky en mi vida. Sí lo había probado, o sea el saborcito sí lo tenía, pero no me había tomado ni siquiera uno completo. Cuando se daba la oportunidad, me tomaba una copita de vino, de pronto una de champaña o un Baileys. Whisky jamás. Pero Claire se sirvió uno y me dijo:

¿Quieres un whisky?

No iba yo a decirle: «¿No tendrás un Baileys por ahí guardado, mija?», como una abuelita o una quinceañera. No. Saqué fuerzas y le dije: «Sí, sírveme uno, rico». Me acuerdo y me da como risa. El primero me supo feo, pero ya los siguientes me parecieron chistosísimos. Esas son las cosas que me suceden a mí con Claire; es que a ver, somos de la misma edad, incluso creo que yo soy un poco más joven, pero a su lado me siento como la mojigatería hecha persona, y en cambio ella es independiente, desparpajada. Definitivamente, la juventud es un estado del alma. Además va para los sesenta y sigue siendo un churro, pero un churro.

Bueno, volviendo a Eduardo, lo conocí cuando yo tenía veinticinco años, la flor de la edad en las mujeres, decía él. Él tenía treinta y siete. Hasta entonces me había pasado la vida como un ratón de biblioteca. Mi mamá murió cuando yo tenía once años. Siempre fui más bien feíta. En todo caso, ninguna belleza. Poco conocía de hombres y de relaciones sabía más que todo por los libros. Decidí ser psiquiatra porque había crecido oyendo a mi papá comentar los casos y me parecía lo más natural.

Ni siquiera creo haber pensado en otra opción, aunque ahora creo que he debido estudiar biología.

El caso es que conocí a Eduardito en una conferencia. Me pareció relajado, luego pensaría que frívolo. Parecía un hombre seguro de sí mismo, sin ganas de impresionar a nadie, aunque con el tiempo esa actitud la interpretaría como narcisismo. Si bien el ser humano es narcisista y cualquier descubrimiento que ponga en duda su visión de sí mismo tiende a ser rechazado, Eduardo lleva esta actitud al límite, rayando en una personalidad sociopática, aunque llegar a este diagnóstico me tomó cerca de treinta años. Si quiera me dediqué a la escritura y no a los pacientes, a los pobres podría haberles ido terrible conmigo, pues me toma años llegar a un diagnóstico. Pero en fin. La velocidad nunca ha sido lo mío. Me llamó la atención que un tipo así de bien plantado como Eduardo se fijara en mí. Pechugona siempre he sido, a lo mejor eso fue lo que le gustó. Tal vez eso y el manuscrito, o tal vez que siempre fui muy comprensiva y muy maternal con él. Todavía recuerdo aquella vez que me llamó «mami». Estaba distraído ojeando el periódico, le pregunté alguna cosa, que si había pedido la cita en el urólogo, alguna cosa así, y sin alzar la cabeza del diario me dijo: «No, mami», luego se puso rojo de la vergüenza y a mí lo que me dio fue un ataque de risa.

Nos casamos un año después de habernos conocido. Yo solo había estado con un hombre antes que él, en una relación tan extraña como incómoda para ambos. Me moría de amor por Eduardo. Me parecía increíble que semejante bizcocho se hubiese fijado en una mujer como yo. Además de buen mozo el tipo era divertido, dicharachero, desenvuelto, de mundo, con clase, mejor dicho, era todo lo que yo no era. Como dote, se podría decir así, le ofrecí un libro que él publicó con gran éxito bajo su autoría. Era un manuscrito sobre los amores que matan. A él le pareció extraordinario y me propuso hacerle algunos cambios. Después lo publicó bajo su nombre, el mío, Lucía Estrada, no estaba en ninguna parte. Cómo andaría yo de embobada con Eduardo que eso no solo no me importó, sino que me hizo sentir orgullosa. Pensé, le gustó tanto que lo publicó bajo su propio nombre. No lo podía creer. Y escribí otro que él volvió a publicar con su nombre, pero esta vez yo le dije: «Mira, mi vida, yo la verdad es que no sirvo mucho para andar dando entrevistas, respondiendo correos, explicando las teorías que se generan aquí, en fin, si quieres sigue firmando tú». Y para mi sorpresa me dijo que bueno, que con mucho gusto él firmaba los libros. Yo me imagino que esperaba un poquito que me dijera: «No, mi amor, tú puedes, tú te mereces ese reconocimiento, cómo se te ocurre que yo voy a firmar por ti», pero no, eso no pasó, lo que sí pasaron fueron tres décadas y dieciséis libros que acabaron de consolidar a Eduardo como el segundo autor de autoayuda más

el paciente busca en su esposa, sus amigos, su trabajo, una réplica de lo proyectado y de su idealización sobre lo que deben ser. En esa medida, no reconoce la existencia del otro como ser independiente, pues el otro solo existe para él como un reflejo de sus propias necesidades insatisfechas. Al producirse el inevitable fracaso de una expectativa idealizada, se da una frustración irreversible que da lugar al proceso que Freud, siguiendo a Jung, llama «la involución de la libido». Es así como viví tres décadas con un hombre que nunca me conoció ni quiso conocerme.

Un hombre para quien lo importante era sentirse querido, admirado y respetado por una masa anónima pero irrefutable. Mi existencia para él no era más que un vehículo hacia esa reafirmación continua de su valor.

Lo cierto es que, a mi manera, yo era feliz. Supongo que, en mi lógica, «la felicidad consistía en la negación de los propios deseos, la renuncia a mí misma e incluso el castigo», palabras de Claire. Yo le servía en todos los sentidos de la palabra. Lo irónico es que todavía le sirvo. Sin que hayamos llegado a un acuerdo de divorcio, me pasé a vivir a un pequeño apartamento en La Soledad, desde donde sigo escribiendo los libros para Eduardo, a cambio de una mensualidad y uno que otro encuentro furtivo, casi siempre desafortunado. A mí el tipo me sigue pareciendo un churro, un chistoso, un filipichín de lo más adorable. Aunque como dije antes, deseo ya hace mucho no siento. El punto es que Eduardito sufrió mucho de niño, tuvo un padre que lo maltrató mucho, y él tuvo que aprender a blindarse, a protegerse de la gente. No es tan fácil juzgar a los demás. Y eso le dije a Claire. No creas. Nadie es tan bueno ni tan malo como parece. Eduardo no fue un mal hombre. Aunque algo de cierto hay en que mi figura se fue volviendo la de una mamá. Sí, una mamá. Le traía las pantuflas. Le hacía el café. Le preparaba el baño. Y él acudía a mí por consuelo, por reafirmación. Pobre mi Edu.

La última vez que nos vimos, intentó besarme. Habíamos ido a cenar a un nuevo restaurante. Él me trajo y me pidió un trago antes de irse.

Estoy cansada, dije intentando zafármelo.

Una sola copa, mi Luchia.

La sola copa fueron las cinco o seis que aún tenía la botella y un monólogo interminable. Yo cabeceaba al otro lado del sofá. Eduardo quiso hablar de su impotencia, luego se acercó a besarme y lo hice a un lado.

No puedo, mi amor, perdona, le dije haciendo un esfuerzo.

¿No puedes o no te da la gana?, preguntó encendiendo un cigarrillo sin mirarme.

Esa fría madrugada de un veintitrés de julio, amaneció en el sofá. Le había echado una manta antes de irme a dormir. Me quedé dormida casi a las tres de la mañana y dos horas después ya lo estaba oyendo. ¿Pero qué está haciendo?, me dije en la duermevela, porque lo escuchaba tropezar y agitarse por la salita en plena madrugada mientras cuchicheaba en el teléfono. El sonido de un golpe seco me hizo levantar. Salí a mirar. Eduardo buscaba sus zapatos a las carreras, con la sala todavía en penumbra. Había tirado la botella abierta de whisky y el cuncho que quedaba se había derramado sobre el piso de parquet.

¿Qué pasa?, dije alarmada.

Perdona, Lucía, debo irme. Luego hablamos.

¿En plena madrugada?

Un amigo está en serios problemas, necesita mi ayuda, luego te cuento.

Eduardo se fue y enseguida vacié las colillas del cenicero que había dejado mi exmarido. Me preguntaba cómo es que uno a los más de sesenta años tiene un amigo en problemas en plena madrugada. Eso podía suceder en la adolescencia. ¿Pero a estas alturas? Eso me hizo recordar por qué lo había dejado. Eduardo era un egoísta y con todo respeto, pensaba más con el pipí que con la cabeza. Como detestaba yo ese olor a pucho. Una de las cosas buenas que tenía mi casa es que nadie fumaba en ella. Eso y el silencio, la paz. Había comprado un libro de yoga para principiantes, un tapete especial y unas cuantas velas. Eduardo se burlaba de mí. Le parecía ridículo que yo a estas alturas quisiera empezar a hacer algo nuevo. El caso es que todas las tardes le dedicaba una hora a esta práctica a la que poco a poco le iba cogiendo el hilo. El solo hecho de no tener que acompañar a Eduardo a sus viajes me había dado mucha libertad. Una o dos tardes a la semana iba al cine, a veces salía a hacer largas caminatas por el Park Way y hasta había pensado en comprarme un perro.

Saqué una tajada de pan y la puse en la tostadora. Pasé un trapo por el piso de parquet. El olor a whisky me produjo náuseas. Abrí las ventanas de par en par. Preparé café, eché agua a las plantas y traje el portátil al comedor para revisar lo escrito el día anterior. Serví las tostadas, el café, me puse las gafas y comencé a leer: «Es así como la infidelidad se convierte en la razón más común de divorcio y maltrato conyugal. Es motivo de depresión, angustia, pérdida del amor propio y otras tantas alteraciones psicológicas, en lo que representa el lado más oscuro del amor enfermo». Lo leí dos veces y me dio risa. No pude volver a leer. *Amor enfermo* parecía hablar de nosotros. Me sentía desganada. ¿Qué pasaría si no escribía el libro? Las regalías que daban los otros eran suficiente para que ambos viviéramos de eso. Es cierto que había un contrato vigente para *Amor enfermo* y su lanzamiento estaba previsto para el año siguiente. Pero podía conseguir otro escritor fantasma: Ahora había muchos jóvenes escritores muy buenos y algunos con formación en psicología.

Además, ese negocio que tenía con su socio parecía estarles dando bastante. No pasa nada si dejamos de publicar un libro, de hambre no nos vamos a morir. Aunque Eduardo se estaba volviendo cada vez más ambicioso. Codicioso, debía decir. De hecho esa fue la razón que me llevó a la separación. Su intención de comprar en New Hope, sumado al incidente con Gloria, rebozaron la copa. De nada sirvió que criticara esa estética de Miami, con todos los excesos del metro cuadrado más costoso de la ciudad. Insistió en que estaríamos más cómodos viviendo entre «gente como nosotros».

¿Gente como nosotros? ¿Y eso a qué hora te convertiste en el prototipo de un colombiano clasista?

Ahora no me vengas con mamertadas, Lucía, cualquiera diría que eres una muerta de hambre, dijo.

La conversación no duró mucho más. Él alegaba que no había nada de malo en querer tener lo mejor.

«Nos lo merecemos todo, mi Piccolina», me dijo.

Entonces lo vi sacar una carpeta verde de su maletín de cuero. La abrió despacio y aparecieron unas escrituras.

Piccolina, la decisión está tomada, solo tienes que firmar y habremos hecho la mejor inversión de nuestras vidas.

Eduardo abrió las escrituras y empezó a leerlas en voz alta. De vez en cuando hacía un comentario al margen: «Tendrías que ver los jardines verticales sobre la roca de atrás». «Hay 350 parqueaderos, cuarto de escoltas, 48 cámaras de seguridad». Seguía leyendo. «El salón comunal te va a encantar, mi amor, tiene una cocina propia y muebles de diseño de muy buen gusto. Pero lo mejor es el *clubhouse*. A ti que te gusta nadar, te va a encantar. Hay una piscina climatizada y semiolímpica, con profesor de natación, turco, sauna, sala de Pilates…». A mí me quedó retumbando en los oídos el «a ti que te gusta nadar». La verdad es que sí. En la adolescencia me había gustado nadar, y en la universidad lo había seguido haciendo. Ahora me preguntaba por qué había dejado de nadar. «A ti que te gusta nadar», repetí en mi cabeza y sentí que me ahogaba en un mar de tristeza.

A mí también me había gustado la música de Joan Baez y de Simon and Gurfunkel, me había gustado pasar los fines de semana en la montaña, me había gustado hacer ajiaco, pero Eduardo no comía ajiaco, no le gustaba esa música y si salía de Bogotá tenía que ser en avión, así que yo me acoplaba y de tanto acoplarme me había vuelto borrosa. Terminó su discurso y sin notar mis ojos enrojecidos ni mi mutismo, guardó las escrituras en el maletín, se cambió de chaqueta y se perfumó antes de salir.

Adiós, mi amor, le dije con una sonrisa desde la cama.

No comás demasiado, se limitó a decir.

Me metí a la cama con una bolsa de papas fritas y una caja de chocolates. A eso de la medianoche había visto un capítulo de *CSI* y dos de *Mad Men* y estaba cansada. Las mujeres de esta serie son unas heroínas, pero al final nunca hay nada para ellas, pensé. Eduardo todavía no regresaba. Tenía los ojos hinchados de tanto llorar.

Cuando apagué el televisor me imaginé durmiendo en otra cama. Una más pequeña, pero mía. Me quedé dormida pensando en una ventana que miraba a la calle, ojalá a un parque, una cocina abierta, unas cuantas plantas, un comedor redondo y una lamparita colgando sobre él. Eduardo regresó cuando comenzaba a amanecer. Yo ya estaba levantada y, sentada frente a la computadora, buscaba apartamentos en La Soledad.

¿Ya trabajando, tan pronto?, dijo él.

¿Cómo te parece?, respondí, ya resuelta a encontrar ese lugar en el mundo donde ahora terminaba de recoger colillas, esa habitación propia donde ya no había espacio para él.

Al terminar de limpiar, tomé la decisión de pedirle a Claire que nos juntáramos una vez por semana. Tomé también la decisión de no volver a

dejarlo fumar en mi casa. Alcé el calendario y mar-
qué la fecha: julio 23. «Desde hoy, nadie fuma en
esta casa», me dije mientras hacía un círculo alrededor de la fecha con el mismo bolígrafo rojo con que
solía corregir los borradores de sus libros.

5.

Sabrina iba en uniforme. Por eso no la habían dejado entrar al bar del hotel donde la había citado Luis Armando. Aunque le hubiera gustado ir, tomarse un trago, que la llevara a un restaurante o al menos a dar un paseo, él había insistido en que se vieran en su habitación.

«No quiero esperar para comerte a besos», había dicho. Y esa frase bastó para que Sabrina sintiera el aumento de su ritmo cardiaco. «¿Me quieres?», le había preguntado esa voz que solía susurrarle por teléfono cuanto la deseaba. «Mucho», respondía Sabrina, sonrojándose. Era la primera vez que un hombre distinto a su papá le hacía esa pregunta.

Cuando entró a la habitación, notó que Luis Armando estaba borracho. Ella también lo estaba, por los aguardientes que se había tomado para soportar el dolor de la depilación. Tal vez, si hubiese estado sobria habría reaccionado antes. Pero no lo estaba. Alcanzó a pensar que haber ido no había sido una buena idea. Sin embargo, en vez de irse se quedó mirándolo a los ojos buscando esa chispa de amor que había creído detectar en ellos alguna vez. Estaba lista para convertirse en mujer.

6.

Al salir de la oficina de su jefe, Karen sintió que las mujeres de la tercera planta la observaban. Las tres de pestañas alzaron la mirada de los ojos que tenían enfrente para escrutarla. Hasta la de los tintos se dio media vuelta y se la quedó mirando. Karen supuso que si no hubieran tenido una cliente bajo sus narices, algo le habrían preguntado. ¿Qué era? ¿Ya todas sabían que Sabrina Guzmán había muerto y que era su clienta?

Bajó a devolverle la chaqueta a Susana antes de regresar a su cabina. La encontró inmersa en un chat que ocultó tan pronto la vio llegar.

Gracias, dijo Karen alcanzándole la chaqueta.

De nada, muñeca, respondió Susana con una sonrisa generosa.

Se fijó en el bolso que estaba a sus pies y se preguntó si sería original.

Sí, es original, respondió Susana, quien parecía tener el poder de leer la mente.

Está bonito, respondió Karen.

Gracias, *princess*, dijo Susana. Tienes cara de ser una buena persona. Anota mi número, nunca se sabe cuándo necesitas una amiga, y entre todas estas gatas envidiosas no vas a encontrar más que aruñetazos, agregó casi en un susurro.

Susana le hizo una llamada perdida y, mientras tecleaba el número, notó que su compañera tenía el último modelo de iPhone. Del bolso sobresalía una tableta.

¿Para qué traes el bolso, para darles envidia?, preguntó Karen.

Sí, también.

Annie interrumpió la conversación para avisarle a Karen que acababa de llegar su siguiente cita.

No te preocupes por las gatas, dijo Karen usando esa expresión por primera vez para referirse a sus compañeras de la Casa. No les alcanza el dinero para una tableta como esa.

Ay, muñeca, dijo Susana, cómo se ve que eres nueva. Si tienen que dejar de comer, dejan de comer con tal de no quedarse atrás. Cuando quieras te presto el bolso o algo de ropa, si llegas a necesitar.

Karen subió a la segunda planta pensando que Susana parecía una buena persona. Una vez en cabina, prendió el fundidor de cera para calentar la mezcla. Entonces escuchó dos golpes a la puerta.

Antes de abrir, llamó a Annie a la recepción y le preguntó quién era su cita.

¿De verdad no sabes?, le contestó al otro lado antes de colgar.

Por suerte, al abrir, se acordó de su nombre. Aunque no la hubiera atendido antes lo sabría, pues presentaba las noticias de farándula en la noche. Entonces Karen admiraba a la presentadora de televisión. No recordaba que la hubiera tratado mal en dos o tres citas anteriores. Le parecía que el prestigio de su belleza era apenas el merecido. Le encantaba su cabello lacio.

Doña Karen, ¿cómo me la trata la vida?, preguntó Karen animada.

Doña Karen no oyó o no quiso contestar.

Puede acomodar su ropa en esta silla, la dejo un segundo para que se cambie. ¿Vamos a hacer el bikini? ¿Necesita un panti desechable?

No, solamente piernas y axilas.

Muy bien, doña Karen, entonces se puede quedar en ropa interior. Estaré con usted en un minuto. ¿Desea un tinto o una agüita aromática?

Agua aromática estaría bien.

Pidió una agüita aromática a la cabina tres. Buscó una cobija eléctrica en el armario. Por suerte había una. Si algo del clóset central desaparecía, se lo cobraban a todas. Entró de nuevo a la cabina. Doña Karen estaba tumbada en la camilla. Era una mujer de unos treinta años. Al parecer llevaba años frecuentando la Casa, siempre la atendía otra empleada, hasta que un día se perdió su celular y la empleada fue despedida aunque no hubiera pruebas ni una investigación probatoria. Así se acabaron veinte años de trabajo en la Casa para su antecesora y así fue como la misma doña Josefina puso a la joya de la corona en manos de Karen.

¿Perdóname, Karen es tu nombre, cierto?

Sí, señora.

Es que me resulta un poco incómodo esto de llamarnos igual. ¿Sabes?

¿Cómo así, señora?

Quítame el señora, que no estoy casada. A ver. ¿Cómo hago para que entiendas que no podemos llamarnos igual? ¿Te hago un dibujito? «Hola, Karen, ¿cómo estás?», «¿Bien, y tú, Karen?», «Bien, Karen». ¿Ya entiendes lo que te quiero decir?

Dijo doña Karen mientras Karen le pasaba un pañuelo por la piel con una crema limpiadora.

¿Desearía una espuma anestésica o así no más?, preguntó Karen.

¿Pero sí estás oyendo lo que te digo?, respondió doña Karen irritada. Un segundo nombre tendrás que tener, ¿no? ¿O te dejas poner un apodo?

Como quiera, doña Karen. Segundo nombre no tengo.

¿Es tan difícil para ti entender eso?

Mientras le ponía talco en las pantorrillas, Karen tomó la espátula de palo y ensayó la temperatura de la cera en el dorso de su palma izquierda. Este gesto invariablemente le recordaba cuando probaba los teteros de Emiliano para asegurarse de que no estuvieran demasiado calientes. Pensó que doña Karen habría tenido un mal día. Al fin y al cabo, no debía ser fácil ser un personaje famoso. Seguro la acosaban en la calle pidiéndole autógrafos y debía ser agobiante estar en boca de todos. Pasó la espátula con cera por las piernas de doña Karen hasta la rodilla. Enseguida cortó una toalla de papel que presionó contra su piel antes de arrancarla de un tirón de abajo hacia arriba. Su clienta dejó escapar un leve gemido.

Karen recordó aquella vez que un cliente de otro salón filmó a doña Karen haciendo una escena de histeria durante una pedicure porque le habían cortado la uña del dedo anular más de la cuenta. Se rumoraba que en parte por eso estaba prohibido el uso de celulares en cabina, para evitar que las empleadas hicieran fotos o videos de los clientes que pudieran derivar en una demanda contra la Casa.

En un segundito acabamos. ¿Le coloco la cobija?

A lo que doña Karen respondió asintiendo con la cabeza recostada en la camilla.

Muy bien, ahora seguimos con axilas y en un momento habremos terminado, dijo Karen aplicándole gel de sábila en las piernas con un suave masaje.

Karen pensó que quien había hecho ese video a escondidas era una mala persona. No estaba bien beneficiarse del mal ajeno, se dijo para sí admirando la tersura de la piel de doña Karen.

Ya sé, dijo doña Karen de golpe sacándola de sus cavilaciones, Pocahontas, agregó soltando una risilla maliciosa. ¿No te parece divino? Te queda perfecto, así con tu pelo negro, tus ojos almendrados, tu boquita grande, medio indiecita sí eres, ¿o no? Y al decir esto se le escapó una carcajada breve, medio histérica.

Si me quiere llamar Pocahontas, bien pueda, dijo Karen, mientras repetía la operación desde el principio: limpiar el área a depilar, probar la temperatura de la cera, poner talco, untar anestesia en espuma, aplicar la cera con la espátula de palo, retirarla con la toalla de tela y aplicar la gel de sábila. Doña Karen había estado con los ojos cerrados la mayor parte del tiempo, pero con una sonrisa leve en su cara. Karen se preguntó si la sonrisa estaría siempre ahí o si la impostaría para ella. La verdad es que a Karen Marcela Ardila, pues ella sí tenía segundo nombre, se le había quedado la sonrisa pegada desde que se ganó el premio de la Niña Colombia a los ocho años. Era tal su persistencia en el gesto, que ya casi no podía controlarlo. Sonreía todo el tiempo, incluso cuando la situación era triste o dramática, otra de las razones por las cuales jamás podría presentar algo distinto al segmento de farándula.

Desde su perspectiva, los implantes de Karen Marcela amenazaban con estallar. Era cierto que tenía un cuerpo escultural y le gustaba exhibirlo, no solo en los catálogos de ropa interior. Llevaba puesto un bikini de hilo dental en encaje y un sostén talla treinta y seis en seda negra. Su piel era color caramelo, su pelo, entre rojizo y champaña. Tenía una nariz minúscula y los rasgos de una princesa de Walt Disney con el cuerpo de una conejita Playboy.

Terminamos, dijo Karen aliviada.

Doña Karen se levantó de la camilla sin perder su sonrisa. Movía su culo enorme para un lado y para el otro como si fuese un pavo real en fase de conquista. Karen le alcanzó una bata al tiempo que sonaba el citófono.

Tienes otra cita, ahora no preguntes quién, dijo Annie y colgó.

Karen no se acordaba.

La dejo vestirse y le preparo su recibo, dijo.

Gracias, Pocahontas, respondió doña Karen sin mirarla y sin dejar de sonreír. Mira que llevo varias sesiones mirándote. Tienes una belleza así, salvaje, como de una indiecita con taparrabos, insistió antes de dejar escapar de nuevo su risita infantil y chillona. Aunque ese pelo liso es falso, ¿no?

Karen no respondió.

Doña Karen le dio mil pesos de propina que no alcanzaban ni para un trayecto de bus, pero en cambio sí llevó una crema Sisley y otra Olay por las que pagó un millón y medio de pesos, el doble del salario de Karen hasta hace unas semanas. De todo lo sucedido, lo que más la ofendió fue el billete de mil pesos.

Karen guardaba las propinas debajo del colchón donde ya reunía más de un millón de pesos. Según sus cálculos, cuando tuviera los dos millones, ya podría traer a Emiliano. Con eso podría pagar la alimentación, la escuela y a la persona que se hiciera cargo, al menos por un par de meses, mientras ella trabajaba. Ya luego iría reuniendo el resto del dinero, haría domicilios, conseguiría un trabajo los domingos, lo que fuera necesario. A este paso serían unos tres meses más. No era tanto tiempo, se decía buscando consuelo.

Subía las escaleras, cuando escuchó la voz de doña Karen:

¡Pocahontas!

Se dio vuelta.

¡Aho!, dijo imitando el saludo de un indio de película gringa.

Karen se la quedó mirando y esta vez fue ella quien impostó una sonrisa. La presentadora la llamaba india enfrente de toda la Casa como venganza por llevar el mismo nombre que ella. Podía sentir

las miradas de sus compañeras encima pegándo-
sele al cuerpo como sanguijuelas. Podía escuchar
sus risitas taimadas como las hermanastras de
Cenicienta. Gatas, se dijo. Por suerte Susana apareció a su rescate:

¡Mira si te has ganado a Karen Ardila, ya te puso
un apodo de cariño!

Y siguió su camino.

Karen se sintió complacida de tener al menos
una aliada. No sabía cuáles eran las razones, lo
cierto es que Susana había decidido protegerla.
No había llegado a la puerta de su cabina cuando
se topó con una señora de mediana edad, el pelo
mal teñido, las piernas largas y demasiado maquillaje. Aún no sabía dónde había visto esa cara antes,
cuando la mujer la tomó del brazo:

¿Es usted Karen?

Sí, señora, ¿en qué le puedo servir?

Soy Consuelo, la mamá de Sabrina Guzmán.
¿La recuerda?

La imagen de una madre llorando abrazada a un
niño pequeño en el sepelio que había tenido lugar
unas horas antes volvió a su mente.

¿Pidió cita conmigo?, preguntó con nerviosismo.

Sí, respondió la señora.

Siga, por favor, dijo Karen guiándola con su
mano hacia la cabina.

¿Y qué se va a hacer?

Yo, nada, si quiere me cobra alguna cosa, pero yo solo vine a hablarle.

¿Quiere un café, una aromática?

No quiero nada, dijo la señora mirando con fijeza la camilla donde no había nadie, pero donde imaginó a su hija tumbada dos días atrás. Karen le trajo un vaso de agua, más para salir y no mirarla que por traerle un vaso de agua. La mujer se escurría contra la pared. El llanto sacudía su cuerpo. «Va a acabar en el suelo», se dijo Karen. Y así fue. Tuvo que agacharse, iba a pedirle que se levantara, pero a último momento cambió de parecer. La madre que había en ella se dobló a su lado y le pasó el brazo por la espalda. La mujer lloraba. Quién sabe cuánto tiempo estuvieron en esa posición. De un momento a otro se detuvo. Tenía la cara mojada, el maquillaje corrido, se veía muy mal.

¿Seguro no quiere que le haga una limpieza?, insistió Karen. Es que la verdad no sé qué más ofrecerle. Dígame qué le gustaría: ¿un masaje, una hidratación?

Un masaje, dijo la señora para acabar con la insistencia.

Muy bien, vamos a concentrarnos en los múscu-los de la espalda y si tiene algún dolor o algún nudo localizado, me dice y lo trabajamos. ¿Le parece?

Solo quiero que me hables de mi hija.

Karen se sintió perturbada con la petición de su clienta, de quien no sabía todavía ni el nombre.

No decía mucho su muchacha, señora. Si quiere váyase quitando la ropa, déjese nada más el panti, dijo mientras ponía algo de música.

¿La depilaste tú?

Así es, señora.

Te quedó muy bien. Parecía una muñeca, dijo la madre zafándose el sostén.

Gracias, dijo Karen pensando que esa era la conversación más rara que había tenido en su vida.

Ahora recuéstese en la camilla, voy a ponerle una cobija eléctrica para que no se enfríe. Deme un minuto. ¿Aceite de almendras o lavanda?

Ya te dije que yo no vine a eso, volvió a decir la madre con un dejo de irritación. ¿Y para qué se iba a pelar mi nena si no era porque tenía una cita? Yo sé que andaba viéndose con alguien pero nunca me contó nada. Con decirle que no tengo ni siquiera el nombre.

Karen no contestó. En lugar de eso, le masajeó las sienes, la cabeza, el cuello. Iba a seguir con los brazos, pero al verle el maquillaje corrido no se aguantó el impulso de corregirlo. Le pasó un clínex con una crema desmaquilladora, después le aplicó una gel limpiadora y al final una crema hidratante.

Siguió por los brazos y, cuando llegó a la mano izquierda, la madre de Sabrina Guzmán volvió a llorar. El resto del tiempo la señora estuvo llorando bajito, mientras Karen hacía su trabajo con especial concentración. Era como si el tacto de esas manos jóvenes, vigorosas y expertas con su piel, presionara los puntos precisos para liberarla de un dolor subterráneo.

Al cabo de veinte minutos le pidió que se pusiera boca abajo y solo entonces, al girarse, la señora volvió a preguntar:

¿Tiene hijos?

Un niño de cuatro.

Karen le trabajó largo la espalda que tenía llena de contracturas.

Y quieren que crea que fue un suicidio… soltó de golpe.

¿Un suicidio, señora? Entendí que había sido una muerte natural.

Eso dice en el periódico, qué querías.

Karen calló.

Y ahora mi niña está enterrada, yo qué voy a hacer, Dios mío, ¡qué voy a hacer!

Al decir esto, la madre irrumpió en un llanto desconsolado. Tuvieron que parar.

¿Y ya habló con la Policía?

Insisten que mientras el parte médico certifique una sobredosis de Tryptanol y no haya bases para cuestionar el dictamen, no hay mucho que hacer.

¿Tryptanol?

Una droga, un antidepresivo que sirve para matarse. ¿Qué sabe, Karen?, insistió la madre.

No parecía querer morirse. ¿Y cómo se suicidó, o cómo dicen que lo hizo?

En el hospital San Blas informaron que un taxista la dejó en la entrada de Urgencias. El tipo dijo que la recogió en la 77 con novena, a eso de las cinco de la madrugada. Dijo que ella le pidió que la llevara rápido al hospital San Blas, que era una emergencia. Y que cuando llegaron no se despertó. Entonces él se bajó a mirarla y Sabrina tenía en la mano una caja de Tryptanol. La abrió y adentro, el blíster estaba desocupado.

¿O sea que ella se lo había tomado?

Eso dice el parte médico.

¿Pero se hizo una autopsia? ¿Se pidió al taxista que testificara?

La madre de Sabrina lloraba con más serenidad.

Tuve miedo, en ese momento me parecía prioritario darle sagrada sepultura. ¿Sabía que los suicidas no entran al reino de Dios?, dijo.

Karen tocó su pie derecho y Consuelo Paredes dejó escapar un suspiro. Cerró los ojos. Primero frotó los empeines con un poco de crema. Después lo hizo rotar en una dirección, luego en la contraria. Usó su mano como un rodillo en su planta del pie, primero hacia arriba y abajo, después en círculos.

No sé qué decirle. Tal vez no se suicidó. Tal vez…

Justo timbró el citófono con insistencia. Al final, Karen no tuvo más remedio que responder.

Permítame un momento, señora. Sí, dime, Annie.

Karen tuvo que cortar a la madre de su clienta.

Me da pena, señora, se nos acabó el tiempo. Tengo una cita que está subiendo justo ahora.

Se vistió con rapidez. Antes de salir le dio un abrazo, le dejó una tarjeta personal donde se leía: «Consuelo Paredes, agente inmobiliaria». Y sus teléfonos.

Dos golpes a la puerta anunciaron la llegada de Rosario Trujillo.

¿Cómo le va?, dijo al entrar mirando a ningún lado. Hágame el adelgazante en la cintura y los muslos y al final me retoca las cejas, ¿sí?, dijo la clienta, quien insistía en adelgazar, a pesar de su bajo peso.

Con gusto, señora, respondió Karen y salió a buscar la gel caliente, los rodillos y la máquina de ultrasonido.

Cuando regresó, Rosario Trujillo estaba tumbada en la camilla hablando por celular. Tan pronto la vio entrar, pasó a hablar en inglés. También a eso había empezado a acostumbrarse.

Al final, estaba tan ofuscada que volvió a pasar al español o al *espanglish* cuando le chilló a su marido:

Ya le dije a tu secretaria que no voy a ir a Santa Marta en «Indian Airlines», ¿me entiendes? O me pones en primera o te vas solo con los niños. Colgó.

No fue sino colgar y la señora Rosario se quejó, primero del calor, luego del voltaje de la máquina, después de la falta de ventilación en cabina y del poco tiempo que tenía para ella, de la empleada doméstica que se había largado sin previo aviso, de que su hija ya no pasaba casi tiempo con ella, del tráfico de la ciudad, de la mala calidad del agua y otra vez del calor... La hora se pasó lenta.

Karen se preguntaba por qué nadie le decía a la señora Trujillo, que su bajo peso comenzaba a ser un tema preocupante y que definitivamente no necesitaba adelgazar. Tuvo la tentación de decírselo, pero optó por conservar el puesto.

Terminamos, dijo Karen al fin.

Entonces salió a prepararle la cuenta mientras la señora se vestía. Apenas eran las cinco de la tarde. Todavía le faltaban tres horas antes de poderse ir. Aunque detestable, le había dejado diez mil pesos de propina, algo que agradecía. Al bajar, vio a los guardaespaldas de la señora Trujillo. El chisme de las gatas era que estaba casada con un político importante. Cuando llevó la cuenta hasta la caja volvió a sentirse observada. Se alistaba a subir con la cuenta de doña Rosario, cuando la interceptó su siguiente cita con un ligero toque en el hombro.

Si estás muy atareada, te espero aquí en la sala, tú tranquila.

Karen se dio media vuelta y se encontró con mis ojos.

Doña Claire, me da mucho gusto verla. Solo deme un minuto y ya bajo por usted. Al terminar de decir esto posó por un segundo su mano en mi hombro.

Desde aquella vez en la que por cosas del azar había entrado a la Casa, comencé a ir cada vez con más frecuencia. Siempre buscaba a Karen, y si ella no podía atenderme prefería volver otro día a dejarme tocar por otra mujer. A su lado me sentía muy a gusto. Podía tender mi cuerpo sobre las toallas blancas y cálidas, abandonarme al silencio con los ojos cerrados, dejarme ir.

Karen me contó de Sabrina y de su inesperada muerte. También habló de la madre, a quien tuvo que interrumpir en pleno desahogo porque llegó su cita de las cuatro. La escuchaba, bien por deformación profesional o por sincero interés, el hecho es que la escuchaba.

¿Y tú crees que fue un suicidio?

Yo no sé.

¿Y sabes algo?

Ella iba a verse con el novio.

Interesante. ¿Qué edad tendría?

No sé, ella nunca dijo, pero un profesional joven, unos veintisiete, treinta como mucho. Trabajaba fuera de Bogotá. ¿Por qué cuando me preguntó la madre si sabía algo dije que no? ¿Por qué cuando mi jefe me hizo la misma pregunta también negué saber algo?

Quizá es algo más intuitivo, quizá te estás protegiendo. O quizá estás respetando la confidencialidad de tus conversaciones con esa muchacha. En cualquier caso, tu decisión es respetable.

Noté que ya iba por el exfoliante efervescente de huesos de aceituna que debía dejarse seis minutos sobre la piel. El tiempo se había pasado volando.

Doña Claire, calladita seis minutos, hasta que le retire el exfoliante.

Háblame tú.

¿Pero de qué?

Pues de lo que quieras. Y quítame el doña, Karen, por favor.

En esos seis minutos, Karen habló de Nixon Barros, el padre de su hijo; de Emiliano, de Rosario Trujillo y Karen Ardila, de sus sumas y restas para llegar a fin de mes. Me habló de *Me amo* de Ramelli, y de la importancia de estar alerta a las señales de los ángeles que nos acompañan. En esos seis minutos, supe que Karen era la protagonista de una historia que comenzaba a escribirse en mi cabeza.

Ahora hazme un masaje.

¿Ahora?, preguntó Karen sorprendida.

Sí, dije queriendo parecer casual. No sabía qué fuerza extraña me empujaba a permanecer a su lado. No quería irme. Quería seguir ahí, con los ojos cerrados sintiendo sus manos y presintiendo su aliento.

Voy a preguntar si no tengo turno y con mucho gusto.

Cuando colgó el citófono me dijo: «Puedo hacerle su masaje. ¿Quiere un panti desechable o está bien con el que tiene?».

Estoy bien, dije sintiendo una ligera turbación. Me desnudé de espaldas a Karen. De todas maneras la cabina estaba casi en la penumbra. Ahora sus manos no estaban en mi cara ni en mi cuello. Estaban en todas partes. Mi cuerpo mudo se abrió para ella, mientras sus manos se perdían en mis tobillos, en las plantas de mis pies.

¿Quiere escuchar el mar?, me dijo.

No pude responder. Fingí dormir. Karen puso el sonido del mar en estéreo y volvió sobre mis pantorrillas, a las que nunca les había dedicado uno solo de mis pensamientos y que ahora parecían contener el mundo.

¿Hace ejercicio?, preguntó.

Sonreí.

Fui deportista hace años, ahora apenas camino, dije.

Recorrió mis piernas, mi abdomen, el olor a coco invadía la cabina, las olas reventaban contra la puerta que daba a una realidad donde no quería volver a estar, quería quedarme aquí con Karen para siempre, con su olor a flores, su risa de niña, su seriedad al hablar de cualquier cosa. Karen hablaba y yo solo podía sentir mi cuerpo vivo, acompasado con el universo, vibrante. No recordaba que alguien me hubiese tocado así alguna vez. Quise llorar. Ahora Karen me pedía ponerme boca abajo y yo quería llorar. Me giré. Al estar de espaldas, con la cabeza enterrada en el agujero, pude dejar las lágrimas salir. Cuánto tiempo. Cuánto tiempo hacía que no tenía yo un contacto piel a piel. Quise abrazarla, pero podría malinterpretarme. No era eso. No. Esta turbación no era deseo. Nunca me había pasado antes. Nunca me había gustado una mujer. Era más bien otra cosa. Era el cariño, era la fuerza de su juventud, era la ternura que su suavidad me inspiraba, era esa sencillez con que se movía por la cabina, la nitidez de su perfil, no sé, no sé, pero seguí llorando en silencio, con una mezcla de desasosiego, turbación y alegría que no había sentido en mucho tiempo.

7.

Apagó la luz de la cabina y cerró cuando eran las ocho pasadas. Volvía a ser muy tarde para llamar a Emiliano. Sus conversaciones con él eran cada vez más un ritual de domingo y temía que con el paso del tiempo ella se convirtiera en una de esas madres que un día se fueron a trabajar a la capital, con quienes poco a poco se perdía el tema de conversación en llamadas cada vez más cortas y esporádicas. Su idea inicial de instalarse y traer a Emiliano a los pocos meses no había resultado. Esos pocos meses ya habían pasado. Pensó que ese día solo había recibido once mil pesos en propina, algunos días eran veinte o más, pero otros días no recibía nada. También le molestaba que le dieran billetes de mil, se sentía ofendida, pues las mismas manos alargaban esa suma a los mendigos en la calle.

Pocas veces los días tenían una secuencia de clientas seguidas una detrás de otra. Casi siempre eran «las gatas», como decía Susana, inventando toda clase de chismes y mirando las mismas revistas de belleza y farándula una y otra vez en las horas muertas en las que no había clientela. Entonces comentaban las dietas de los famosos, los accesorios de esta o aquella actriz en la entrega de los premios Tv y Novelas, los amoríos de una modelo local con algún empresario. Aunque a Karen también le gustaba ver las revistas, le aburrían los comentarios malintencionados de algunas de sus compañeras. Por eso prefería los días en los que apenas alcanzaba a respirar entre una cliente y la otra. Las horas muertas eran esas donde se ponía melancólica y acababa preguntándose para dónde iba su vida mientras Deisy leía a sus compañeras la dieta del pepino.

Al llegar a la pieza miraría cuánta plata había. Ya no recordaba si alcanzaba al millón redondo, pero estaba cerca. Volvió a pensar en arriesgarse a traer a Emiliano con ese dinero, por qué no. Lo más costoso era pagarle a alguien para que lo cuidara. Bueno y tener un buen techo, porque el sitio donde estaba no era el mejor. Karen fantaseaba con un barrio donde Emiliano pudiera quedarse jugando hasta tarde con otros niños de la cuadra sin preocuparse. Tenía que enterarse mejor de cuánto costaban las cosas. Tenía que hacer un presupuesto más preciso. Tenía que sacudirse.

Ya había pasado la hora pico. No tuvo que esperar más de diez minutos en la estación. Una vez dentro, aunque no había un asiento libre, tampoco se sentía como sardina enlatada. En las mañanas el viaje era siempre una miseria. La gente se frotaba ofuscada, unos contra otros, a menudo terminaban en peleas sin mencionar las billeteras, teléfonos y joyas que desaparecían entre la masa o los accidentes de quienes se saltaban la baranda para no pagar pasaje, sin contar los pisotones y moretones que dejaban algunos trayectos en el servicio de transporte público.

Calculó que en unas cinco paradas podría sentarse. No falló. A la cuarta, después de pasar por Héroes, Calle 76, Calle 72 y Flores, consiguió una silla vacía junto a la ventana. Descansó la cabeza sobre el cristal empañado y se dejó mecer por el ruido del motor. De vez en cuando abría los ojos para fijarse dónde iba. Las casas del sector le hacían pensar en tiempos mejores. Aunque Karen no lo sabía, esas casas magníficas que veía por la ventana, ahora convertidas en compraventas, prostíbulos y mercado negro de repuestos de carros, fueron estancias de recreo de familias ricas cincuenta o sesenta años atrás. La gente se movía como hormigas. Sobre todo en las estaciones y más a esta hora, cuando sus caras y sus cuerpos desaparecían para convertirse apenas en apuradas siluetas. Pensaba que su vida sería más sencilla si pudiera vivir por estos lados. Más arriba de la avenida Caracas, claro, no encima de los puestos de mariachis y las whiskerías. Cerca de la estación Marly, por ejemplo, donde había un Éxito grande para comprarle los útiles escolares a Emiliano cuando llegara el momento. Le compraría solo comida sana, nada de mecato, cosas buenas, fruta, yogur, queso pera, cosas que alimenten y que lo hagan crecer sano, pensó. Sintió un pique en la nalga. Los buses estaban llenos de pulgas. En la Costa no había pulga, había era cucaracha, pensó. Pulgas malucas.

Ahora su madre apenas si respondía cuando Karen le preguntaba si el niño comía bien, si era juicioso, si le estaban controlando las horas de televisión. «Tú, preocúpate por ti, niña», le decía y evitaba una conversación. Tenía que ir a bajar la olla del sancocho, o recoger la ropa que había lavado o ver la novela o ir a bañar al tío. Siempre lo mismo.

Si tuviera algo de dinero, pensó Karen, le pondría una enfermera a su mamá, para que no tuviera que andarse haciendo cargo de la caca y los orines del tío a toda hora. Además, el hombre estaba cada vez peor. De vez en cuando perdía el control o se olvidaba o quién sabe qué era lo que hacía que a veces se hiciera encima; «ganas de joder», decía su madre y a Karen le costaba creer que fuera cierto. Recuerda cuando su tío todavía se pasaba el día contando anécdotas. Entre las que más le gustaba repetir, estaba esa donde había tenido una lora a la que quería «como a una hija».

Lo cierto es que a la lora la llevaba a todas partes con él, a sus andadas a comprar el chance, a jugar dominó, a tomar café. Era la relación más estable y duradera que se le hubiera conocido al tío. Al menos así lo fue hasta un buen día en que alguien la atropelló.

Esta era una historia sin testigos, lo que la hacía aún más dudosa, más siniestra. Nadie nunca vio que la lora hubiera sido atropellada. Y lo más raro es que la calle era de tierra y por ahí rara vez circulaba un automóvil. Era un barrio de motos.

El caso es que esa noche, cuando él volvió del trabajo en la oficina de correos, se sentaron a comer. Karen de eso no se acuerda, pues apenas tenía tres o cuatro años y no debía estar sentada a la mesa. Comieron, casi en silencio como todas las noches, con el radio de fondo. Al tío le gustó tanto la sopa que pidió repetir. Acabando el segundo plato, le preguntó a su hermana: «¿De qué es la sopa que está tan sabrosa?» y Yolanda, la madre de Karen, sin vacilar: «De la lora Sarita». El tío primero se rio, pero al ver cómo ella seguía comiendo seria, se levantó enseguida y se fue a buscar su lora por toda la casa sin encontrarla.

Esa noche vomitó hasta el amanecer y luego de lo ocurrido pasaron varias semanas sin que los dos hermanos se hablaran. Cuando Karen le preguntó a su mamá por qué lo había hecho, ella dijo: «La lora ya estaba muerta, qué querías que hiciera, ¿tirarla a la basura? Ni que fuéramos ricos». Aunque no recordaba la escena, sí recordaba su pregunta y la respuesta de su madre. A pesar de su edad, Karen sabía que había sido un acto cruel y sabía que a su tío le había causado un daño irreversible. Desde entonces, el hombre repetía la historia casi a diario y poco después vinieron las narraciones de partidos, como si su cabeza ya no quisiera estar más ahí, en esa casa, entre esas mujeres. La respuesta de la madre también se le grabó a Karen porque fue la primera vez que alguien le dijo que no eran ricos. Antes de eso no se lo había preguntado, pero no por eso el saberlo fue menos triste.

Yolanda Valdés no tenía más remedio que limpiarle la mierda a su hermano, darle la papilla y bañarlo como a un crío, porque plata para confinarlo en un ancianato no había, y para pagar una enfermera tampoco, ni para tener una empleada doméstica. En realidad, la empleada doméstica acababa siendo ella, que, a cambio de vivienda y alimentación, tenía que humillarse atendiendo a su hermano como una esclava. El viejo, a pesar de su demencia, de vez en cuando le recordaba que esa casa era suya, y era con su plata que se cubrían los gastos.

Karen sabía, su mamá se lo había dicho, que la mayor desgracia de su madre había sido parir una hembra porque «los varones hacen lo que les da la gana, en cambio las hembras hacemos lo que nos toca». Karen recuerda que tenía trece años cuando la oyó decirlo. Desde entonces se preguntaba, con cada mujer que conocía, si realmente hacía lo que quería o lo que le tocaba. Se preguntaba también si a su mamá le tocaba ocuparse del tío o si era una cruz que había elegido alzar. No imaginaba qué haría su madre si no tuviera tantas razones para quejarse. Su madre personificaba una forma de infelicidad, era la infelicidad misma.

Desde que Emiliano nació, Karen sentía que su mamá quería más al niño que a ella. Quizá porque veía en él la posibilidad de darle una vuelta a la historia, de cambiar las cosas. Su madre, como su abuela, tenía la frustración de no tener un varón que sacara la cara por los Valdés. Pero también había otra cosa, su madre se había decepcionado de ella. Primero, porque no quiso aprovechar su belleza, y después por dejarse preñar de «un negro muerto de hambre», como describía a Nixon. Yolanda Valdés fue abuela a los treinta y seis años y se sintió mejor preparada para ser madre que cuando tuvo a Karen a los dieciséis y sin duda no se sintió abuela, o al menos no quiso hacerlo.

Ya iban por Profamilia. Alguien le había dicho que ahí practicaban abortos, que era una buena clínica, donde lo hacían todo médicos profesionales en las mejores condiciones de higiene. ¿Pero luego eso no era ilegal?, se preguntó Karen. Pues sí, era ilegal, se respondió, pero ahí lo hacían en caso de que se le llegara a ofrecer. ¿Se estaría ella volviendo loca? ¿Como el tío Juan? A lo mejor eran las conversaciones que a toda hora pescaba al azar, en el bus, en la estación, en la calle, en la Casa. Quizá había oído cuando una chica le decía eso a otra, tal vez pasando por ahí mismo, vaya uno a saber. Esa zona también era bonita. Las casas de debajo de la Caracas con 39 eran de las más bellas que ella había visto en la ciudad. Había unas estilo inglés, con el musgo en las paredes y las ventanitas cuadradas anticipando una chimenea caliente, un chocolate hecho a fuego lento y hasta unos masmelos derretidos al calor. Claro que la mayoría de esas casas tristemente ya no eran de familia. Ahora eran fundaciones, negocios. Ya la gente no vivía en ellas por el tema de la seguridad. En esta ciudad uno no podía estar ahí parado entre la calle y la casa. Había que poner obstáculos, había que poner límites, barreras de protección. Un celador o varios, una reja, ojalá electrificada, un perro bravo, en fin, había que ser un idiota para ponerse así, como carne de cañón. No. Ya nadie prendía una chimenea detrás de esas casas con ventanitas cuadradas y el musgo subiéndole por los muros, ya no. ¿Y si en Cartagena hubiera habido un Profamilia y una amiga suya le hubiera dicho? ¿Y si ella no hubiera estado tan apendejada con Nixon? ¿Y si no sintiera el temor de Dios como le habían inculcado a sentirlo? ¿Y si le hubiera dicho a alguien? ¿Y luego tomar pastillas anticonceptivas no era casi lo mismo que hacerse un aborto? ¿Luego no eran ambas maneras de evitar una vida antes de que fuera eso, una vida? ¿Para qué una vida si nadie la quiere? Se sintió avergonzada de sí misma por haber pensado algo así. La vida no la pone ni la quita uno, solo la pone y la quita Dios, se dijo repitiendo esa frase hecha, y cientos de veces escuchada mientras se bajaba el gordo de barbas y se acomodaba a su lado una muchacha embarazada de unos dieciséis años a lo más y con unos siete meses a lo menos. La muchacha hacía el gesto de sentarse y de repente se quedaba suspendida en el aire, con el trasero a unos veinte centímetros de distancia de la silla. Karen había visto que en Bogotá esa costumbre la tenía todo mundo. De hecho, quien no dejara enfriar la silla de los calores del cuerpo que acababa de abandonar el espacio, pasaba por maleducado. Suspendida en el aire por siete, diez segundos, la muchacha esperó que el calor de las nalgas del barbudo desapareciera. Susana le había explicado que eso se hacía para que a uno no se le metieran los humores ajenos.

La muchacha se sentó. Karen la miró de reojo pues no se atrevió a verla de frente. Sin un hilo conductor que la llevara hasta ahí, pensó en mí. Pensó que era distinta a la mayoría de sus clientes. Parecía una mujer libre, en paz con la vida. Así quería ser ella a mi edad, me dijo días más tarde. De haber sido rica, le hubiera gustado ser una mujer rica como yo, no como doña Rosario Trujillo. Entonces no hubiera importado ser hembra, «porque a los ricos, varón o hembra, les va igual de bien. O no igual, pero casi», había dicho.

La muchachita preñada se comía los cueros de las uñas tan mordidas que ya casi no tenía. El pelo era pura grasa y la expresión como de miedo. Karen tuvo ganas de hablarle a la muchacha, aunque fuera para distraerla de aquello que la preocupaba tanto.

¿Cuánto tienes?

Siete meses.

¿Para octubre?

Sí, señora, a comienzos.

¿Y el papá está muy contento?

Sí, señora, estaba.

¿Y ya no?

No, ya no porque está muerto.

Entonces a la muchacha se le aguaron los ojos. Karen tampoco decía nada, pero ahora sí la miraba, de frente, como si quisiera hipnotizarla mirándola o decirle algo que no sabía lo que era en palabras. La niña volvió a llevarse los dedos a la boca y Karen, con delicadeza pero en un gesto firme, le retiró la mano y se la puso sobre su pierna. La dejó ahí, quieta, con su mano descansando sobre la de ella. Y así estuvieron en la parada de la calle 22, no lejos de donde comenzaba la calle del Pecado, con las prostitutas saliendo de las residencias hechas en baldosa como baños enormes saturados de olores a detergente mezclado con semen y orines con alcohol, cerca de La Piscina, con su letrero neón, donde las mujeres se desnudaban, bailaban y frotaban su trasero contra la quijada de un joven ejecutivo en su despedida de soltero, mientras acariciaban sus pezones una a otra a cambio de unos cuantos billetes bajo una luz blanca y titilante.

Atrás habían quedado las calles de los mariachis donde Karen nunca había estado, como no había estado en un bar ni en una discoteca de la ciudad en su vida.

Cada vez más aquí y allá aparecían casas de vidrios rotos, jíbaros, indigentes, travestis, prostitutas viejas, gordas, niñas, enfermas. En cambio a La Piscina solo iba gente de plata. Karen había escuchado que la botella de whisky costaba medio millón de pesos. Así mismo a las muchachas seguro las trataban bien, seguro no permitían que nadie las golpeara o las infectara con alguna de esas enfermedades asquerosas. Se le caían los párpados del sueño, pero como el bus se detuvo, alzó la cabeza a ver dónde iban. La niña embarazada se había bajado y un hombre mayor ocupaba su lugar. Le sonaron las tripas y trató de recordar qué se había comido al almuerzo. Se preguntó si tendría algo de comer en la pieza. Tenía que hacer la compra. Quizá el domingo. Ahora era tarde, solo quería meterse debajo de las cobijas. Le dolían las pantorrillas, los brazos, los tendones de las manos. Ya solo estaba a nueve paradas. Al bajarse el hombre, se subió una mujer de su edad. Era agraciada, hablaba por el celular con voz ansiosa. «Pero, mamá, es mi nena», decía, «es mi nena», «es mi nena», como repitiendo un mantra. Karen cerró los ojos. El bus olía a suciedad. Una mezcla de sudor, pelo, pachulí, comida de paquete y cigarrillo. Karen quería no escuchar a su vecina de puesto. Tuvo miedo. Entonces cerró los ojos otra vez, pero en esta oportunidad quiso hacer cuentas. Trató de concentrarse. Había empezado a enviarle a su mamá cerca de trescientos mensuales, era poco. Pero tenía que hacer mejor las cuentas, no era posible que familias enteras vivieran con el salario mínimo y ella ganando un tercio más, no alcanzara. Ya Maryuri se lo había dicho recién llegada a Bogotá: «Es que tú eres mala pobre, no sabes centavear». Y a lo mejor era cierto. Karen sentía que no solo era mala pobre, quizá era mala para esta vida. Su mamá se burlaba, le decía que ella se creía de mejor familia. No era eso. Era que tenía una melancolía pegada en el cuerpo desde pequeñita y no le salía con nada. A lo mejor, eso lo había heredado de su papá. Pensaba que debía parecerse a su papá, porque a su mamá no se le parecía. Había heredado de su madre un cuerpo nervudo, un cuello largo, los labios pulposos y los ojos grandes, pero no su alegría, ni su gritería ni su habladuría

A lo mejor podía traerse a Emiliano para Navidad. Le habían hablado del alumbrado del Parque Nacional. También había unas chivas que hacían el recorrido para ver las luces. Habría que conseguirle a Emiliano un abanico, lo ideal sería uno de techo, como el blanco que tenían en la casa y que ella a veces temía que se les viniera encima y los aplastara en la mitad de la noche. Karen recuerda esas primeras noches en Bogotá. El frío le molía los huesos, pero aun así no podía dormirse; le hacía falta el abanico de techo, su sonido arrullador, el viento.

El trayecto comenzaba a parecerle interminable. Quería llegar, contar el dinero, apuntar las cuentas y que fuera el día siguiente para empezar con las sumas y restas; quería que fuera Navidad, quería traer a Emiliano, quería sentir el calor de sus manos, quería abrazarlo, quería dormir abrazada a su bebé como en los viejos tiempos, quería despertarlo con una arepa de huevo recién hecha y una salchicha de ternera para desayunar con suerito costeño y un bollo de maíz, quería verle la cara al montar en Transmilenio, al ver la extensión de la ciudad desde Monserrate, a donde ella ni había llegado a ir, pero le habían dicho que era bello.

Miró el reloj, eran casi las nueve. ¿Se habría equivocado? En lugar de haber tomado el expreso había tomado ese lechero que paraba en todas partes. Con razón iba tan desocupado. Arepa de huevo, pensó, más con el estómago que con la cabeza. Karen no entendía qué le veían a la bendita almojábana. Un pan seco y desabrido que te dejaba la lengua pastosa. Un pan lechoso y dulzón como los cachacos, pensó. El estómago le respondió con un retorcijón tan estruendoso que el muchacho sentado a su lado levantó las cejas.

¿Quiere roscón?

¿Qué?, preguntó Karen.

Que tengo medio roscón en una bolsa, si lo quiere.

Gracias, dijo apenada.

El muchacho tenía acento valluno. Sacó la bolsa de papel, la abrió con cuidado y se la pasó. Mejor roscón que almojábana, pensó Karen. «Sí, ya pude comprar esta semana la correa del pantalón. No todavía, pero un colega me prestó dos corbatas. Sí, señora. Sí, claro. No se afane que ya estuve mirando y con la próxima paga me compro una propia y ya devuelvo la prestada», decía el muchacho por teléfono. Karen estaba tan embebida en la conversación, que casi se le pasa su parada. El roscón tenía bocadillo por dentro y se lo había devorado en dos mordiscos. Se preguntó si Emiliano habría probado roscón alguna vez en la vida. A lo mejor si aprendía de chiquito a comer almojábana, le cogía el gusto. Sería gracioso tener que comprarle almojábana para el desayuno, pensó, y sonrió para sus adentros. El niño crecía a punta de fritos, agua de coco y peto.

Ay, cómo echaba de menos un petico fresco al atardecer. Esa era la bebida de mecedora por excelencia. En el patio, bien fresco, en vaso de plástico. Ah, y los dulces de tamarindo, que a su mamá le quedaban bien sabrosos.

En su casa solo había vajilla plástica y nunca compraban servilletas. «¿Eso pa'qué?», decía doña Yolanda. En el lavaplatos había jabón El Rey para sacarse la grasa de los fritos después de cada comida. Karen pensó que a lo mejor a eso se debía la resequedad de sus manos. Aquí en vez de un carrito de peto, la despertaba el sonido de los parlantes de la moto con la olla cargada de tamales: «Sí los hay, sí tenemos tamales de mil y de dos mil, siga, siga, sí hay tamales», y Karen se despertaba molesta porque podía ser domingo a las siete de la mañana y ya estaban con el perifoneo en el único día en que la gente podía descansar hasta tarde. «¿Sigan?», se preguntaba Karen todavía entre sueños, «pero si era una moto vendiendo. ¿A dónde iba uno a seguir?», y se ponía la almohada en la cabeza. El bus ya había frenado cuando Karen leyó el letrero de Santa Lucía. Se bajó de un brinco y le dejó al mensajero una sonrisa que él no alcanzó a ver.

Una de las ventajas que tenía vivir donde vivía era que la casa estaba a solo tres cuadras de la estación. Aparte de uno que otro bombillo roto o fundido, la calle estaba iluminada, así todos los cables de electricidad estuvieran por fuera como las tripas escurridas de animales muertos. La primera cuadra la caminó tranquila y sin notar nada extraño, pero enseguida escuchó las patrullas de policía y luego al dar la vuelta en la carrera 19, junto al hostal Brisas del Sur, se encontró con un tumulto de gente. Unos quince taxis taponaban la vía, mientras que en torno a uno de ellos habían acordonado la zona. Al otro lado de la calle subían un cuerpo a una ambulancia. Uno que otro curioso asomado a la calle contemplaba la escena. Los taxistas gritaban: «¡Mátenlo!», «¡mátenlo!», y arrojaban piedras a las ventanas de una de las casas de la carrera, mientras la policía intentaba contenerlos. A Karen le llamaba la atención que en Bogotá la gente solo se juntaba en la calle cuando había un muerto, un atraco, un accidente. De resto todo mundo se mantenía encerrado en su casa. En cambio en la Costa, la gente ponía las sillas Rimax en la calle, sacaba el picó, ponía un buen vallenato y le brindaba al vecino una Costeñita o un Águila bien fría mientras pasaban la tarde escuchando vallenato o bachata.

¿Qué pasa?, le preguntó a un anciano en pijama.

Le pegaron un tiro a un taxista por robarlo. Quieren linchar al ladrón que se escondió en esa casa.

Cuando cruzó para tomar la carrera 20, vio que se aproximaba una tanqueta de la policía antidisturbios. En menos de tres minutos estaba intentando abrir la puerta con el pulso acelerado y mano temblorosa. Las pipetas de gas retumbaban en sus oídos. Alzó la mirada y le pareció ver una luz encendida en su apartamento. Cuando bajó la vista para empujar la puerta, un gato negro rozó sus pies. Se quedó siguiendo al gato con la mirada, cuando una presión en el hombro la hizo girarse. Era un vicioso de pantalones escurridos y pelo parado.

Vecina, cómo está usted esta noche, además de bella como una estrella, dijo mostrando una sonrisa sin dientes con aliento a caño.

Karen lo miró un segundo, le dirigió una sonrisa mezquina y volvió a la chapa.

¿Pero cuál es el afán, princesa?, insistió el muchacho alargando la última sílaba. En ese momento, Karen notó que miraba hacia arriba, justo cuando la luz de su pieza se prendía y se apagaba de forma intermitente.

¿Qué está pasando allá arriba?, dijo. La voz le temblaba y sentía que le ganaba el miedo. El chico sacó un cuchillo y se lo puso en la garganta:

Nada que tengamos que reportar con nadie. Sumercé compórtese y verá cómo todos quedamos contentos.

Karen se quedó pasmada con un nudo en la garganta y los ojos bañados en lágrimas. Alguien estaba en su pieza o acababa de salir o lo que fuera. Entonces notó el maletín que llevaba el muchacho al hombro y se preguntó si sus cosas estarían dentro. Armándose de valor entró a la casa. En el primer piso no se escuchaban ruidos, las luces estaban apagadas. Los dueños de la vivienda, quienes rentaban los otros tres apartamentos, vivían tras una doble reja cerrada con tres candados. En el patio estaba Muñeco, el perro de ellos. En la primera parte de la casa vivía una mujer con una niña de unos diez años. En el segundo piso, donde también estaba Karen, había otro apartamento con una familia compuesta por un policía, su señora y un bebé de brazos. Karen subió la escalera tan pronto pudo para encontrar la chapa rota, la puerta abierta, la ropa en el suelo, el espejo partido en dos, la foto de Emiliano tirada en el piso y la Virgen María sin cabeza. La televisión y la radio ya no estaban, como tampoco la cadenita de oro que le había regalado el tío Juan de grado, ni la medalla del Divino Niño. Pero ella no veía estos detalles, pues solo pensaba en la cama, a la que se lanzó en picada. Desde fuera todo parecía estar en orden. El colchón estaba en su sitio, el tendido tal como ella lo había dejado en la mañana. Si no fuera por el espejo, por la virgen y la ropa, se diría que no había pasado nada. El pocillo de café estaba en el lavaplatos lleno hasta la mitad, tal como lo había dejado antes de salir. Las migajas de pan en el mesón de la cocina. La toalla extendida sobre la cabecera de la cama y, sin embargo, al levantar el colchón descubrió que faltaba lo único que no podía faltarle, lo único que le importaba, que hacía una diferencia para ella, para su vida y la de su hijo, lo único que justificaba vivir en esta ciudad.

El sobre de manila tamaño carta donde tenía sus ahorros de los últimos ocho meses había desaparecido. Karen lo buscó por toda la pieza, como si hubiera podido cambiar de lugar. Buscó en las gavetas del baño, entre las ollas, en los cajones de la mesa de noche, en el armario, incluso en la caneca de la basura. Repitió la búsqueda en los mismos lugares una y otra vez, como si algo en su cerebro le diera la instrucción de continuar las mismas acciones tantas veces como fuese necesario, con tal de no aceptar que el dinero había desaparecido sin remedio.

8.

Al oír el teléfono, Ramelli estiró la pierna y lo poco que quedaba en la botella de whisky fue a dar al piso de parquet. «Vente ya a mi casa, mi hermano, es una emergencia con muñeco incluido», dijo Diazgranados. Colgó. Al levantarse, Eduardo volvió a chocar con la botella, luego tropezó mientras intentaba ponerse un zapato, todavía medio ebrio. Fue entonces cuando Lucía apareció en la sala para preguntarle a dónde iba a esas horas de la madrugada.

Un amigo está en serios problemas, necesita mi ayuda, luego te cuento.

Poco después, Lucía recogería las colillas, limpiaría la casa y tomaría la determinación, dejando constancia escrita en el calendario de la cocina, de no volver a dejar fumar a nadie en su casa. Era la mañana del 23 de julio.

Se encontraron en el Carulla 24 horas de la calle 63. Diazgranados llevaba puesta una sudadera azul cielo y unas gafas de sol. Eran las cinco de la mañana. Conversaron unos siete minutos. Ramelli tuvo la idea de comprar el Tryptanol. Sabía que en grandes dosis podía causar un paro respiratorio. La intención era evitar a Medicina Legal. Si conseguían un certificado de defunción creíble, podrían librarse de una autopsia. Compraron la droga. Ramelli tenía la tarea de vestir a Sabrina adecuadamente, limpiarla, y conseguir a un taxista de confianza que la llevara a la clínica San Blas. Una vez ahí, tendrían al doctor Venegas, quien les debía más de un favor, para hacer el ingreso y el certificado de defunción: «Paciente con paro cardiorrespiratorio por sobredosis de tricíclicos», escribiría el doctor Venegas un par de horas más tarde. La evidencia: el blíster del Tryptanol vacío en el bolsillo de la chaqueta de Sabrina Guzmán y el testimonio del taxista que corroboraba la tesis médica como conclusión del montaje.

El certificado de Venegas nos va a costar un par de millones, le dijo Aníbal a Ramelli mientras conducía un carrito de mercado con papaya, piña, leche de almendras y una caja de cereal.

¿Tenemos que resolver un crimen y tú haciendo mercado?, le preguntó Ramelli.

Pero mira las cosas que estoy echando en el carro, no joda. Fíjate bien. ¿Ves una longaniza, un paquete de chorizos, una pata de cordero, manteca, frijoles, vino o jerez?

Ramelli se asomó al carrito y volvió a mirar a su colega.

Es parte de las falsas pistas, dijo. Si luego le preguntan al cajero y este cuenta lo que compré, nadie piensa que soy yo, dijo antes de soltar una carcajada.

Qué huevón, dijo Ramelli sin ganas de sonreír.

Mi hermano, sonríe, sonríe y relájate porque ahora tendrás que ir a limpiar y vestir a una muerta, le dijo Aníbal dándole una palmadita en la espalda.

Pareces el padrino, le respondió Ramelli. Mentiras, más pareces Pablo Escobar con esa sudadera grotesca.

¿Cuánto nos va a costar el taxista?, añadió Diazgranados sin prestarle atención al insulto mientras acomodaba la compra.

Diez, dijo Ramelli.

¡Qué hijueputas!, respondió Diazgranados. Eso es lo que ganan en ocho o nueve meses.

¿Se te ocurre algo mejor?

No, mintió Diazgranados. Tendremos que mantener un ojo puesto en el enano ese, añadió. No nos vaya a hacer una mala jugada.

¿Y de dónde lo sacaste?

Tranquilo, es un tipo confiable, dijo Ramelli.

Se despidieron frente a las carnes frías. A pesar de sus teorías, Diazgranados no pudo evitar llevarse una bandeja de costillas en promoción. Cada uno se fue a pagar en una caja diferente. Ni por un segundo Ramelli se preguntó cómo era que un tipo que tenía nexos con los paramilitares, que cargaba con varios muertos a sus espaldas y tenía acceso a los mejores sicarios, lo estaba poniendo a él en esa situación. A él, que en su vida había cometido un crimen y cuyo mayor delito había sido lavar dinero sucio creando una Entidad Prestadora de Servicios de Salud para desfalcar al Estado, todo bajo la influencia de su nuevo mejor amigo.

Diazgranados andaba ansioso. El incremento de su paranoia era proporcional al de su apetito. Siendo ya un hombre obeso, quienes lo conocían le habían visto aumentar de talla en los meses anteriores. Desayunaba cuatro huevos, medio kilo de queso, una jarra de jugo y tres tazas de café. A las once de la mañana estaba mandando a su escolta a traerle una arepa con queso, un pastel gloria, una empanada de pollo, un pastel de carne, unas carimañolas. Cuando Ramelli se confesó con Karen, dijo que lo que más le impresionaba de todo, era la forma de comer de Aníbal.

Me da miedo, dijo.

¿Y no te da miedo que sea un asesino, un criminal?, le preguntó Karen.

No. Me da miedo y asco verlo comer así. Cuando lo veo comer de esa manera pienso que es una persona mala.

9.

Karen fue hasta el baño, se sonó la nariz, se echó agua fría en la cara y llamó a pedirle posada a su colega Maryuri, donde había trabajado recién llegada a Bogotá. La mujer aceptó, no sin antes advertirle que el espacio era pequeño. Wilmer hacía el turno de noche y casi siempre volvía del trabajo a eso de las cinco de la madrugada. Karen dijo que no serían más de tres o cuatro días y el llanto le cortó la voz. Como pudo metió su ropa entre una maleta y aunque intentó bajar haciendo el menor ruido, el casero la detuvo en la escalera y le tapó la boca mientras la arrastraba de vuelta a su pieza. Karen intentó pedir ayuda, pero una mano peluda sofocaba sus gritos. Seguramente había sido él quien la había robado y, no contento con eso, se quedaría con el depósito de cuatrocientos mil pesos que le había cobrado al llegar. Eso sin contar que ahora le manoseaba las tetas por encima de la blusa, mientras le mordía el cuello y

Karen se sentía una idiota por no haber intuido algo inusual cuando esa misma mañana vio al muchacho de pantalones escurridos que la interceptó en la puerta hablando en la esquina con el casero.

El hombre la arrojó sobre la cama y le dio dos bofetadas tan fuertes que le dejaron las mejillas rojas y una pequeña cortada por cuenta de un anillo de oro con piedras incrustadas que tenía en la diestra. Al golpearla le soltó la boca y Karen gritó mientras el casero empujaba con rabia su verga hinchada dentro de ella como animado por los berridos.

Todo había ocurrido tan rápido. Karen ya no gritaba, no pestañeaba, no respiraba, no entendía qué estaba sucediendo, ni siquiera si estaba sucediendo en realidad, hasta cuando el dolor se hizo tan intenso, que ya no pudo evadirse. Una sensación de ahogo en la garganta le impedía volver a gritar o siquiera intentarlo. Los ojos de ese hombre se le habían quedado enterrados en el estómago como una puñalada.

El casero siempre le había parecido vulgar. Además de ser pesado y tener las uñas mugrosas, olía a queso rancio. Karen creía en su capacidad para percibir cuando un hombre la deseaba. Sin embargo, le había fallado esta vez. Hasta hoy, el casero se había mostrado apenas amable, más bien indiferente a su presencia. Tal vez no la deseaba en absoluto. Solo quería destrozarla. O tal vez lo único que le interesaba era joderla hasta el punto de evitar que ella pusiera una denuncia en su contra. La violación como trámite burocrático.

La sensación de una presencia en la habitación la hizo girarse. Fue entonces cuando, por encima de la cabeza del casero, Karen alcanzó a ver a doña Clara apoyada en el marco de la puerta. Algo debió notar él, pues también se dio vuelta para encontrar a su mujer observando la escena con una mueca extraña en la cara:

Ay, mijo, pobre muchacha, qué pecado, ya déjela.

¡Ya me jodió Clara, cuando ya iba a terminar!, exclamó malhumorado el casero dejando al descubierto su pene medio flácido y vistiéndose con rapidez.

Me hace el favor y se larga. ¿Me oyó?, le dijo a Karen como si ella tuviera la culpa de lo que acababa de ocurrir.

Y a usted, mija, si no ha bajado en diez minutos, subo a buscarla.

La mujer se acercó a Karen, quien sollozaba en posición fetal intentando cubrirse.

Métase a la ducha y quítese la vergüenza de adentro. Sucia, le dijo.

Karen obedeció. Un profundo desaliento le invadía todo el cuerpo. Hasta sostener el jabón le parecía una tarea difícil. En cualquier otra situación hubiera odiado la complicidad de esa vieja con su marido violador, pero en ese momento solo podía agradecer que alguien le dijera qué hacer.

Le voy a pedir un taxi, no sea que ahora coja uno en la calle y le hagan el paseo millonario, dijo. Cuando uno es de malas, es de malas, añadió.

Karen había dejado de sollozar, pero no podía hablar. Las manos le temblaban, sentía escalofríos en la espina dorsal.

La escena volvería a su cabeza insistentemente a lo largo de los años. El aviso que rezaba «Se alquila pieza para mujer sola» era una invitación a desposeerla, a vejarla y a dejarla ir sin nada entre las manos. Karen había dejado la lámpara de noche. La cama y la mesa no le pertenecían, pero la lamparita le había costado treinta mil pesos y le gustaba. Pasarían días antes de sentir la presencia de la ira en todo el cuerpo. De momento era solo dolor, miedo, fragilidad. El día había sido una vida, desde el sepelio de Sabrina Guzmán a la violación no habían pasado sino diez horas.

No me contaría lo ocurrido sino mucho después, cuando ella ya no fuese más la misma que conocí una tarde de abril en La Casa de la Belleza. La esposa del casero le dio la dirección al taxista que Karen había apuntado en un trozo de papel.

Doña Clara, ¿por qué?, fue todo lo que alcanzó a decir Karen.

¿Qué hace viviendo sola como una cualquiera? Quién la manda, le respondió, y diciendo esto cerró la puerta del taxi. Antes de darse media vuelta, añadió: «Más vale que no volvamos a saber de usted por el bien de todos».

A San Mateo Soacha, si me hace el favor.

Sí, mi amor. Ya la cucha me dio la dirección. Menos mal son más de las once, si no, no llegábamos este año.

Karen recostó la cabeza en la ventana y se dejó mecer por el vaivén del carro. En la radio cantaba Chico Trujillo y con cada estrofa ella sentía crecer el aleteo en su estómago:

> *Tus besos son*
> *Toda mi vida,*
> *tus besos son*
> *Mi mundo entero*
> *Tus besos son*
> *(tus besos son)*
> *son como caramelo*
> *(¡caramelo!)*
> *Me hacen llegar al cielo*
> *(al cielo)*
> *Me hacen hablar con Dios.*

Señor, puede parar un momento.

Ni que estuviéramos bravos, responde el taxista orillándose.

Karen abre la puerta y vomita en la acera. El taxista le alcanza una bayetilla y le pregunta:

«¿Voy muy rápido, sumercé?»

No, no es eso, dice Karen y cierra los ojos.

Arranquemos, por favor.

10.

De vez en cuando Karen irrumpía en mis sueños con ferocidad. La turbación que me causaba su presencia se la atribuía solo a su juventud. A su belleza. No quería o no podía soportar la idea de algo más allá, de algo como el deseo, el apetito carnal. Quizá porque no estoy segura de haber sentido algo semejante, quizá también porque aunque lo sintiera no sabría reconocerlo, entrenada, como he estado desde siempre, para amar a los hombres. Ahora tampoco sé si Karen, esa especie de negra de pelo lacio con nariz de blanca, esa muchacha desprevenida, natural hasta casi resultar agresiva en un mundo donde ya ni las flores crecen en la tierra, era realmente el motivo de mi turbación y de lo que podemos llamar mi deseo. No sé si puedo explicarlo por el hecho de estar envejeciendo. Al final, envejecemos siempre, desde el día en que somos arrojados a este mundo, y sin embargo toma tanto tiempo hacerlo consciente. No vemos nada. No nos vamos viendo desaparecer, así como la belleza no mira, solo es mirada.

Al entrar a la Casa sentí mi pelo oliendo a aire envenenado y me decidí por hacerme la *henna*. Color borgoña, le dije a Nubia.

Poco a poco me iba acostumbrando a los recuerdos que me asaltaban de golpe, nítidos, voraces, indiferentes a mi historia reciente, de nostalgia implacable. Mi mamá echándome polvos en el tocador de la casa en las Islas, un amante besándome en la playa bajo la luna llena, yo sentada en las piernas de mi padre sintiendo la loción Jean Marie Farina en su afilado mentón recién afeitado, el nacimiento de Aline, su primer día de colegio, mi cuerpo desnudo después de una jornada de amor incansable, mi cuerpo que ya no es más el que fue, ese cuerpo que era yo y que ya no soy, ese cuerpo que me ha dejado perdida, huérfana de mí misma, aunque sana, diría Lucía, que tiene esa envidiable capacidad de ver siempre lo bueno, aunque sana no puedo decir yo que me siento enferma o a lo menos ausente, ida, abandonada, reemplazada por otra a quien no conozco ni quiero conocer, en mi nostalgia constante de la ausente. ¿A dónde te has ido? Intento, pero estas ideas de quien sufre, de quien se deja inundar por la saudade, me dejan apenas escucho el agua correr y me abandono a las manos de Nubia sobre mi cabeza.

Las puertas de La Casa de la Belleza me reciben y adentro hay ese silencio sumido en una mezcla de perfumes costosos, agua de rosas, aceites y champú. Quiero quedarme aquí, me digo, mientras vuelvo a inventar cualquier excusa para un nuevo masaje, otra depilación aunque el vello no ha crecido lo suficiente, otro color de pelo, eso, otro color de pelo y abandonarme en los brazos de Nubia, quien me hace el champú con delicadeza, casi con cariño, acaricia mi cuero cabelludo mientras invento un recuerdo donde mi madre me lavaba la cabeza con un champú de camomila tarareando una canción en francés.

Se ha convertido en una de nuestras mejores clientas, dice Annie, su boca de cereza cada vez me resulta más voluptuosa, tentadora. Sonríe. Tiene pestañas postizas, me digo, y aquello que hace unos meses me parecía vulgar en ella, ahora lo encuentro gracioso. Provocativo. Sonrío de vuelta. Ya no quiero abandonar esta tierra de mujeres de modales refinados. Me quiero quedar aquí siempre. Esta vez no llego a preguntar por Karen.

¿Le gustaría conocer nuestro pasaporte?, dice con voz suave, mientras sus manos graciosas se mueven en el aire con finura.

¿Un pasaporte?

Lo ofrecemos a nuestras mejores clientes. Incluye servicios para la piel, el cuerpo, el cabello, tratamientos de limpieza, rejuvenecimiento,

11.

Llevaba su hija tres semanas enterrada cuando se despertó sudando frío. En el sueño Sabrina lloraba desconsolada con el cuerpo magullado.

Cuando recuperó el ritmo regular de su respiración, Consuelo Paredes le marcó a su exmarido. Le daba igual que fueran las tres de la mañana. Al otro lado, el celular de Jorge Guzmán repicó sin respuesta hasta entrar a buzón. Desde la muerte de su hija, al hombre todo le importaba un carajo. Su segunda esposa, con quien tenía una niña de cinco años, ya había sido comprensiva casi un mes, ahora estaba furiosa. Desde la muerte de Sabrina, su marido había descuidado la empresa y apenas si les dirigía la palabra a ella y a su hija.

Cuando el teléfono comenzó a repicar por segunda vez, fue ella quien se despertó. Jorge roncaba estruendosamente, con la ropa y los zapatos puestos. Ella se había quedado dormida antes de sentirlo llegar, a eso de la medianoche:

Mijo, su teléfono, le dijo empujándolo.

Impaciente, le tapó la nariz con el índice y el pulgar. Enseguida Jorge abrió los ojos y se incorporó sobre la cama. La mujer le acercó el teléfono.

¿Jorge, es usted?

¿Qué pasó? ¿Qué hora es?

Al otro lado Consuelo había vuelto a llorar.

Es Sabrina. Tuve un sueño. La niña lloraba, estaba golpeada, Jorge, y lloraba.

¿Un sueño? ¿No ve que está muerta?, dijo Jorge con voz de ultratumba.

Prométame una cosa, solo una, respondió Consuelo entre sollozos.

¿Qué quiere?

Quiero que venga conmigo mañana a la Fiscalía. ¿Usted de verdad cree que la niña se iba a suicidar? Si ni siquiera le hicieron una autopsia, cómo iban a saber eso... ¿A dónde la llevaron? ¿Dónde estuvo esa noche? Quiero saber la verdad.

¿Qué decía Sabrina?, preguntó Jorge.

¿Cuándo?

Pues en el sueño, Consuelo, dónde más iba a ser.

Decía «yo no me quería morir, mamita, no quería, perdóname por haber ido, perdóname...».

¿Y al fin habló con la esteticista?

Sí. No me dijo nada, pero algo debe saber. Bueno, sí me dijo, preguntó por qué no le habíamos hecho una autopsia.

Después de un largo silencio, Jorge habló:

La recojo a las ocho.

12.

Hay aprendizajes de manual. Pero cuando se tiene poca calle y se ha tratado poco o nada con casos reales, te pueden morder y no los ves. O no los quieres ver. Ahora tengo claro que Karen no fue la misma después de aquella noche en que salió con su vida empacada en una maleta en un taxi que la llevaría de Santa Lucía a San Mateo.

Dos minutos o menos son suficiente para cambiarlo todo. He debido imaginarlo. En nuestra siguiente cita después de la boda de la hija del ministro, la noté ausente, distraída, me untó el aceite dos veces y luego abría y cerraba la puerta de la cabina, descolgaba y volvía a colgar el citófono. Por un momento llegué a creer que lo hacía adrede, para hacerme reír, algo así como un numerito chaplinesco, pero enseguida noté sus ojeras profundas, la opacidad en su mirada, su delgadez.

¿Estás comiendo?, le pregunté.

Más o menos, dijo.

Ahora tenía puesta una sonrisa estática, como de guasón, una sonrisa que no le correspondía a la expresión de la cara ni mucho menos a lo que fuese que estuviera pensando.

¿Y duermes bien?

¿Qué importa, doña Claire?, respondió.

Sentí que se había irritado. Luego noté que llevaba un maquillaje más visible. Esta vez los labios eran cereza, como los de la recepcionista. Llevaba un lápiz muy marcado en los ojos, rubor y pestañina.

Me pasa algo extraño últimamente, dijo.

Y en ese momento noté una cortada en su brazo, como esas heridas que algunos pacientes se autoinfligen después de eventos traumáticos.

¿Qué pasa, Karen?

Olvídelo… qué hace una mujer de mi edad viviendo sola, eso es buscarse problemas…

¿De qué estás hablando, mujer?

Una situación que tuve con el casero donde vivía, el señor me obligó, pero también yo no debía llevar ropa tan ajustada, dijo y se calló. Además, una mujer no tiene por qué vivir sola, como una cualquiera, añadió, como repitiendo una lección.

No sé qué ocurrió, Karen, sea lo que sea no puedes culparte, dije.

Se me cierra la garganta, Claire. Me da taquicardia, a veces es así, como si estuviera fuera de control y a veces es como si alguien me quitara el aire…

Te puedo recetar un ansiolítico. Pero, dime una cosa, ¿pasó algo grave?

No necesito una psicóloga, respondió con sequedad.

¿Y una amiga?

Usted y yo no somos amigas, dijo. No he debido ponerme a hablar así. ¿Le preparo la cuenta?

La tomé de la mano y noté su piel reseca. Le di vueltas a la palma observándola.

¿Ahora me va a revisar si estoy limpia, como doña Josefina?, dijo apartándose.

No es eso, tienes la piel muy reseca.

Tengo que lavarme seguido, la suciedad no me sale.

Karen, vas a necesitar ayuda.

Con todo respeto, doña Claire, lo único que necesito es traerme a Emiliano de Cartagena y seguir mi vida.

Me parece bien, creo que tienes razón, dije.

Eso lo dice porque no sabe qué está pasando.

No lo sé porque no me lo has dicho. Pero confío en ti. Creo que eres una buena mujer y sabrás hacer lo correcto.

Me habla como si fuera una retrasada, dijo Karen con brusquedad. Solo porque usted sea una doctora no quiere decir que yo sea una estúpida.

Su hostilidad me era completamente ajena. Era como si algo, o alguien, hubiese abducido a la verdadera Karen para dejar a esta en su lugar.

Ya nada nunca va a ser igual, dijo. Y luego soltó un sollozo, pero se contuvo. Si solo pudiera dormir, añadió.

Te puedo dar una droga para dormir.

Karen no respondió pero se quedó mirándome como esperando mi siguiente movimiento. Busqué en mi bolso y le di la caja de Zolpidem que me había dejado una visitadora médica.

Este es un hipnótico, tómate una pastilla cada noche.

Karen lo guardó en el bolsillo de su bata y salió a hacerme la cuenta.

Ya abajo, en la recepción, mientras pagaba, Karen se me acercó y me dijo:

Todo el tiempo se me vienen esas imágenes a la cabeza… ¿La pastilla puede quitarme esto?

Creo que necesitas terapia.

No tengo tiempo, ni dinero.

Puedo ayudarte, insistí.

Solo quiero sacarme esa película de la cabeza.

¿Y qué pasa? ¿En la película, qué pasa?

Karen calla. Su mirada opaca vuelve a irse lejos.

Tal vez con la ayuda de Dios, dice, y vuelve a callar.

Ya sabes que cuentas conmigo, dije. Pagué la cuenta y me fui.

Semanas más tarde las piezas del rompecabezas comenzarían a tomar forma. Estaba demostrado que las mujeres víctimas de abuso sexual solían estar hiperalerta frente a cualquier estímulo que les evocara lo sucedido, con conductas evasivas, a la defensiva o con un embotamiento de los sentidos, anestesiadas emocionalmente, sin motivaciones y muchas veces con ideas suicidas. A Karen la idea de volver a casa sola y en medio de la oscuridad le producía terror, razón por la cual prefería tener compañía en la noche, pasarla en la calle o en los brazos de quien fuera con tal de no enfrentarla por sí misma.

la boca con torpeza, dejar que le arrancara la blusa blanca de colegiala, dejar que escarbara en el morral que llevaba con ella buscando quién sabe qué y esparciera su ropa por la habitación.

Ahora Sabrina pensaba que haber ido era un error, pero el tiempo de pensar ya había pasado. Su cabeza estaba aletargada, el cuerpo apenas si respondía. Se sentía débil, tenía miedo y, sin embargo, esa costumbre suya de obedecer, de agradar, de nunca contrariar, le impedían moverse, eso o el miedo, eso o el dolor, la tristeza, lo que fuera la mantenían como una estatua en medio de la penumbra, estática, excepto por el corazón a punto de estallar. El hombre que estaba enfrente suyo era un príncipe azul, así se lo había dicho a sí misma, había compuesto su personalidad a su antojo a partir de dos o tres salidas y unas cuantas llamadas. Era el hijo de un congresista, le había dicho que la quería, no iba a salir corriendo como una niña solo porque ahora le sangrara el labio, solo porque hubiese un poco de coca en la mesa, es que era una ingenua, había imaginado la música romántica de fondo, la botella de champaña y unos globos o unas rosas o ambas cosas en la cama y flotando por la habitación que olería a todo menos a borracho, pero ya su madre se lo había dicho «el matrimonio es una cruz» y no es fácil, decía, no es sencillo, el amor no era sencillo, o qué se pensaba ella, que todo era Disney, que todo era rosas y corazoncitos, no, solo porque él no le acariciara la cara como había hecho en otras ocasiones, solo porque él estuviera un poco tomado, no iba ella ahora a salir corriendo como una niña que ya no era y que ya no iba a ser más.

14.

La necropsia practicada a Sabrina Guzmán Paredes encuentra altas dosis de cocaína en su cuerpo, algo que daría para apostarle a una muerte por sobredosis. Se advierten pequeñas hemorragias (petequias) en la conjuntiva del ojo. Se perciben aparentes hematomas intramusculares en el cuello y petequias en el tórax, según los expertos, signos frecuentes de una muerte por asfixia, que no llegan a ser concluyentes por el estado de descomposición del cadáver.

Por su parte, el informe toxicológico declaró que en el cuerpo de Sabrina Guzmán Paredes se encontró cocaína en cantidad de 2 partes por millón, así como benzoilecgonina. Explica que las dosis son muy altas, pues en el cuerpo de un consumidor habitual se presentan niveles de 0,1 a 0,5 partes por millón y, por encima de 1 millón, se pueden presentar convulsiones, entre otros efectos.

Si bien el informe da como posible causa de muerte el paro respiratorio ocasionado por intoxicación con cocaína, la posibilidad de que el deceso se deba a un cuadro de violencia física sigue abierta.

Sin embargo, al haber pasado más de diez días y ser un cuerpo exhumado, no es posible establecer la causa de las contusiones y petequias presentes en el cuerpo. Por lo tanto, no se puede concluir si se trató de una violación o de una relación sexual consentida, como tampoco establecer si hubo un cuadro de violencia física o si un accidente fue el causante de las contusiones halladas. Se encuentran restos de semen en el cuerpo de la víctima.

Por último, el dictamen de Medicina Legal descarta la posibilidad de que Sabrina Guzmán Paredes fuese una consumidora habitual de cocaína, pues no se encontraron indicios de su consumo. No hay residuos de amitriptilina en el cuerpo que validen el uso de Tryptanol como causal de la muerte.

Por el estado del cadáver, no es posible determinar si había escoriaciones en la epidermis.

La conclusión del patólogo es que la determinación sobre cuál fue la causa de muerte queda a discreción de las autoridades competentes una vez logren aclararse los elementos de juicio restantes que obren en el curso de la investigación. El caso pasa a manos de la Fiscalía. Se firma a los tres días del mes de agosto.

15.

La iglesia de San Agustín es de las pocas reliquias del siglo XVI en pie en la capital. Me bajé un par de cuadras antes por cuenta del desfile de camionetas, guardaespaldas y policía. Debía ser la única de los setecientos invitados que había venido en taxi.

Quise huir, pero ya era demasiado tarde. Me atrajeron los cantos gregorianos provenientes de la iglesia. Apuré el paso y desvié la mirada cuando me topé con la pierna cubierta en llagas de un indigente con un tumor ulcerado en el estómago. El siguiente fue más difícil de esquivar por habérmelo topado de frente. Era un viejo orinado y lloroso con la mano extendida hacia mí. Confieso que fue entonces cuando rebusqué en mi memoria cuál había sido la última vez que estuve en el centro, y no logré encontrarla.

La invitación no decía que la boda católica tendría lugar por medio del rito religioso que se remonta al Concilio Ecuménico de Trento, cuando el latín era el idioma oficial de la misa. Me acomodé donde pude, justo a tiempo para ver entrar a la novia del brazo del señor ministro, con un vestido majestuoso en pedrería sobre un blanco extenso que se regaba sobre la alfombra roja de la oscura calle al altar celestial. Todo era extraño y, sin embargo, era imposible no sentirse sobrecogido con el olor de los jazmines, los lirios y crisantemos y la delicadeza de las orquídeas bajo la luz de miles de velas blancas, mientras empezaba a sonar la *Suite* de Haendel.

Para poder hacer el rito en latín, con el sacerdote de espaldas a los fieles, habían tenido que pedir un permiso especial a la Conferencia Episcopal de Colombia. Esto lo sabría al día siguiente, al abrir el periódico y encontrar las fotos de la boda, con una crónica bastante detallada de lo ocurrido en la velada. Sin embargo, no necesitaba haber leído el diario para comprender que una ceremonia de dos horas con el oficiante mirando al santísimo en el altar es un gesto propio de un jurista que se declara creyente en la Virgen, que dedica todos sus esfuerzos a abolir el aborto en cualquiera de sus casos y que se opone a la homosexualidad como si se tratase de una herejía. También leería al día siguiente que los ornamentos y cálices del siglo XVII fueron prestados por el mismísimo obispo como expresión de aprecio por los novios.

Hacia donde dirigía la mirada, había un ministro, un juez, un congresista. En medio de ese derroche de poder, busqué alguna cara conocida. No vi a nadie.

Me crispé cuando el cardenal leyó un mensaje personal del Papa para los novios. Y cuando criticó el matrimonio homosexual enfrente de todo el poder político de una nación que se declara laica, me sentí contrariada.

Oí que el sacerdote decía «los pérfidos judíos», poco antes de escucharse la *Misa de Coronación* de Mozart. ¿Pero acaso Mozart no era protestante?, me dije. Cerré los ojos y aspiré el olor de los jazmines. No quería estar ahí. Si escuchaba, me sentía perturbada, pero si conseguía aislar el contenido y me limitaba a disfrutar del escenario, a sentir la música, el olor de las flores, la majestuosidad de la iglesia, la belleza de los candelabros, entonces me sentía invadida por una placidez alegre y liviana.

Me sudaban las manos, el corazón me palpitaba más rápido y sentía un abatimiento que ya ni el *Ave María* de Schubert ni el *Gloria in Excelsis* podían aliviar.

El Dios en el que no creo debió apiadarse de mí, pues, contra todos mis temores, la misa llegó a su final sin que nadie acabara lesionado. La novia salía en largo desfile mientras le arrojaban pétalos de rosas desde las primeras bancas. Tendría que esperar a que salieran los demás para hacerlo yo. Entre el tumulto vi la cara de Lucía Estrada y fue como si un náufrago hubiese encontrado un tronco que lo llevaría a la orilla. Me abrí paso entre la multitud para darle alcance y la atrapé agarrándola del brazo, ya en la puerta de la iglesia:

¡Lucía!

¡Claire querida!, dijo dándose vuelta con una sonrisa, todo me esperé menos encontrarte aquí.

Yo sé, lo mismo te digo. ¿No es horrible?, dijo Lucía.

Pensé que me iba a morir, dije.

Sobrevivimos, añadió.

Ramelli estaba más adelante acompañado por Aníbal Diazgranados, su señora y uno de sus hijos. Con un gesto de la mano le indicó a Lucía que se diera prisa.

¿Te llevamos?, preguntó Lucía.

No sé, no estoy muy animada para ir a la fiesta.

Pues te dejamos en el camino. ¿Estás sin carro?

Sí, eso sería fabuloso, no me gusta la idea de quedarme aquí parada en la mitad de la calle a estas horas. ¿Seguro hay lugar para mí?, pregunté al ver que se subían Ramelli y los Diazgranados.

Hay espacio de sobra, insistió Lucía.

Está bien.

Decidí que después de tanto esfuerzo lo más lógico sería pasar por la recepción y al menos saludar a los padres de la novia en el besamanos. En la camioneta de adelante iban el conductor de Diazgranados, su esposa, su hijo y Lucía.

Si no te importa vete en la de atrás, dijo Lucía.

No pude evitar echar un vistazo al interior. Quería verle la cara al hijo de uno de los políticos más cuestionados y poderosos del país. Sonreí, el chico sonrió de vuelta. A diferencia de su padre, tenía rasgos finos, la quijada cuadrada y las piernas largas.

Quise saber su nombre, pero me pareció atrevido preguntarlo justo ahora, cuando atrás me esperaban para poder arrancar. Me di prisa en subirme a la segunda camioneta, con Eduardo de copiloto. Atrás, junto a mí, estaba Aníbal Diazgranados, a quien nunca había tenido tan cerca. Su rostro me resultaba familiar por haberlo visto en las noticias, pero no había sentido la proximidad de su aliento pesado, ni su mirada lasciva sobre mi escote.

Ramelli, mi hermano, deja de ser grosero, cuéntame quién es este voluptuoso lucero otoñal.

Ramelli se dio media vuelta para encontrarme arrinconada junto a la ventana con la cara absorta en la calle, mientras Aníbal me devoraba con la mirada. Me pareció alcanzar a notar en su cara una sonrisa irónica.

Congresista, le presento a Claire Dalvard, reputada psicoanalista de la Sorbona.

¡Mieerdaaaa, no joda, tronco de doctora!

Claire, mucho gusto, dije dándole la mano a manera de saludo y observando con desagrado cómo la tomaba entre las suyas y la besaba con afectación.

Claro, he oído hablar de usted.

Todo lo que te hayan dicho es mentira, dijo Aníbal, y dime una cosa, muñeca, ¿cuánto vale una hora contigo?

Si quiere le doy el teléfono de mi consultorio, por aquí debo tener una tarjeta.

Consiénteme con un vallenato que esto aquí parece un velorio, le dijo al conductor guardándose la tarjeta en el bolsillo.

Con todo gusto, doctor.

Que te perdone yo, que te perdone
como si yo fuera el santo cachón
mira mi cara vé yo soy un hombre
y no hay que andar repartiendo perdón

Esa canción le encanta a mi hijo Luisito, dijo Diazgranados gritando el coro.

En la cien con séptima se atravesó sobre mis piernas para sacar una licorera de plata que estaba debajo de la silla del copiloto.

Tómate un trago, mi hermano, le dijo a Ramelli, quien aceptó obediente.

¿Doctora?

No, gracias. ¿Puedo preguntarle algo?

Cómo no, doctora, dijo Diazgranados.

¿Tiene un hijo que trabaja en una petrolera?

Así es. ¿Cómo lo sabe?

Por mi hija Aline, mentí.

Volví a asomarme a la ventana. Ya estábamos llegando.

Compadre, ¿al fin vamos a Sincelejo el lunes?, le preguntó Aníbal a Ramelli como si no le hubiese dado importancia a la pregunta.

Sí, sí, voy contigo, respondió Ramelli.

Es que aquí donde lo ve, el maestro, además de sabio, resultó buen negociante.

¿Ah, sí?

Cuéntale a Claire los negocios que tienes en salud, dijo Aníbal echándose otro trago.

Ramelli se veía contrariado.

Sí, bueno, estamos más que todo en la Costa, ¿sabes? No tenemos mucha presencia en Bogotá.

¿Pero qué segmento de salud manejan?, pregunté.

Bueno, tenemos licencia en la Clínica San Blas.

No sé a qué horas haces tantas cosas, respondí evasiva.

Ni yo, contestó Ramelli, mientras Aníbal coreaba una canción de Jorge Oñate.

Parece que ahora sí estamos llegando. ¿Me va a felicitar por mi cumpleaños?, preguntó Diazgranados.

¿Es hoy?

Cómo no, hoy 14 de agosto. Soy Leo. El signo del poder. Aparte soy bien apasionado, agregó en tono más bajo.

No creo en esas cosas, dije.

Abrí mi cartera para mirarme en el espejito de la polvorera y retocarme los labios.

Así estás divina, soltó Aníbal que empezaba a enervarme.

El hombre sacudía la botella en su boca como queriendo exprimirle las últimas gotas de whisky sin éxito. Mientras tanto la procesión de camionetas y escoltas a la entrada del Country Club comenzaba a obstaculizar el tráfico. No veía la hora de escapar. Quizá podría tomarme un trago con Lucía, pensé con ingenuidad, sin prever cuánto faltaba para llegar al salón donde tendría lugar la recepción.

¿La última gota?, preguntó Diazgranados, Cruz Salud invita. ¿No es cierto, Ramelli?, añadió con una carcajada estridente.

¿Quién iba a decir que la salud fuera un buen negocio, verdad?, dije con sarcasmo.

Ay, doctora, por favor, no me diga que usted no se había dado cuenta, respondió Diazgranados.

Tan pronto pude, me bajé, casi salté de la camioneta. Una alfombra azul, cubierta por una carpa blanca, simulaba un túnel por donde los invitados hacían el recorrido desde el Valet Parking.

Como algo excepcional, la noche estaba despejada, con luna llena. Una serie de fotógrafos seguían a los recién llegados disparando sus cámaras. Para los VIP, había una tarima con luces profesionales donde se les pedía posar para «el álbum de los novios». Rozando la carpa y tratando de no ser vista, me adelanté lo más que pude evadiendo a los fotógrafos. Un pequeño grupo rodeaba al ministro y su señora.

¡Querida Claire, gracias por venir!, dijo la esposa del ministro.

Nos abrazamos entre flashes y miradas.

Ha salido todo muy bello.

Gracias, sí, la nena es muy religiosa, queríamos darle gusto.

El señor ministro se acercó a saludar.

Así que usted es la famosa Claire.

Famoso usted, señor ministro.

Hemos buscado el espacio para reprogramar esa cita, pero no hemos podido, dijo él.

Me sorprendió el plural.

¿Vendrán los dos?, pregunté, no acostumbro hacer terapia de pareja.

Verá, señora, las inquietudes de mi mujer son también las mías, así que si ella quiere hablar con una terapeuta, no puedo sino apoyarla acompañándola.

Me giré a mirar a mi excompañera de las benedictinas, quien sonreía con una mirada opaca.

Observé el crucifijo de oro con incrustaciones de diamante que pendía de su cuello y di dos pasos a un lado para permitir que quienes venían detrás pudieran saludar. Quise despedirme de Lucía, pero la había perdido entre la gente. Di media vuelta y caminé hacia la entrada del Club donde me consiguieron un conductor que me llevaría de regreso a casa. Ya estaba por salir cuando me topé con la mujer de Diazgranados.

¿Nos conocemos?, le dije.

Sí, respondió. La Casa de la Belleza, suelo ir allí. Si no estoy mal, nos atiende la misma muchacha.

¿Karen?, pregunté.

Cómo no, respondió Rosario Trujillo antes de pedir un permiso y alejarse a tres pasos de distancia de su marido.

16.

Eran más de las tres de la mañana. El recinto estaba casi vacío. Apenas quedaba uno que otro borracho, una modelo jugando con el micrófono en el escenario, la banda de Jorge Celedón recogiendo los instrumentos y Diazgranados bebiéndose los cunchos de los tragos que quedaban en la mesa. Claire no había entrado siquiera a la recepción y Lucía se había ido no sabían cuándo ni con quién.

Esa noche Eduardo se sentía solo. Le parecía que todos a su alrededor tenían el amor de su vida como pareja de baile, justo cuando él comenzaba a aceptar que Lucía había dejado de quererlo. No quería regresar solo a su casa, a poner un canal porno y masturbarse hasta conciliar el sueño. Decidió llamar a Gloria, pero no contestó. Había que reservarla con antelación, más si era fin de semana. Entonces recordó que ella le había dejado el número de la agencia. Buscó la tarjeta en su billetera y llamó. Tomó el saco de su vestido y salió en busca de su camioneta.

Antes de salir, se había puesto la ropa interior de encaje negro, la blusa de satín sin mangas y los tacones. Se maquilló con el labial cereza y se pintó los ojos de un negro intenso. La misma Susana le escogió la ropa y le dio algunas recomendaciones para su primera cita como *escort service*. Todo había ocurrido de forma inesperada. Susana respondió a sus preguntas y le propuso que comenzara haciendo una prueba con un par de clientes para que ensayara cómo se sentía. A cambio, Karen le daría una comisión. Si se sentía a gusto, Susana la presentaría con la agencia formalmente para que entrara en el catálogo. Si todo iba bien, podrían conseguir un *pull* de clientes y más adelante independizarse. Las cifras eran tentadoras. Además, le explicó su amiga, con hacerlo un par de años y ahorrar, sería suficiente para comprar una casa. Al fin y al cabo, nada se perdía con ensayar. La agencia llamó a Susana a decirle que había un cliente buscando a Gloria. Como no estaba disponible podían mandar a otra chica. Era la situación perfecta. Con dos, máximo tres clientes, podría recuperar el dinero que había ahorrado en ocho meses.

Los edificios de New Hope tienen más de ancho que de alto. Y quizá por este efecto y por alzarse en una media luna que deja en el centro un prado y piedrecitas grises por donde pasa un chorro de agua, tan artificial como el césped sintético, como el azul de los vidrios y como el sonido de una cascada cayendo en medio del falso prado que simula un campo de golf, cualquiera que pase por la avenida Circunvalar se quedará atónito al ver esa construcción extraterrestre en un paisaje verde, donde los edificios se alzan en ladrillo rojo, el color distintivo de Bogotá. Karen lo encontró bellísimo.

¿Me recuerda su nombre?, preguntó el portero.

Pocahontas.

¿Pocahontas qué?

Pocahontas, no más.

El portero le dirigió una mirada incrédula. Tenía un micrófono inalámbrico y un uniforme azul rey que le hacían diferente a cualquier portero que hubiera visto antes.

Lo siento, señora, pero necesito ver su documento de identidad. Son las reglas de la administración. Karen se sonrojó. Se sentía una idiota. Pocahontas, dijo para sí misma abriendo la billetera y alcanzándole su cédula. Él la miró, observó la cédula y anotó la información en una libreta, así como la hora de llegada.

Siguiendo las indicaciones, salió a un jardín japonés iluminado por una tenue luz azulosa. Se quitó los tacones para hacer el menor ruido posible al caminar por la plataforma de madera que atravesaba el jardín de una torre a la otra. A la entrada

la esperaba una amplia recepción con muebles agi-
gantados y esculturas en mármol. Esta vez una
mujer en uniforme negro le pidió nuevamente el
documento de identificación y volvió a apuntar
la hora de entrada a la torre antes de comunicarse
por un monitor digital para pedir que llamaran el
ascensor. Había sido tan estúpido decir Pocahontas, tan infantil. Karen no paraba de reprochár-
selo. Más aun cuando la agencia tenía que aprobar
el nombre y la cédula de quien enviaba, pues era la
garantía de seguridad para el cliente.

Sintiéndose como una cucaracha, tomó el
ascensor del medio y cerró los ojos. Volvió a abrir-
los y vio el jardín japonés; más abajo, la ciudad.
Estaba nerviosa e intentaba contener el temblor de
sus manos. El ascensor se detuvo, se abrieron las
puertas y al otro lado encontró a Eduardo Ramelli.
Llevaba puesta una bata de toalla blanca. Iba des-
calzo. Le dirigió una sonrisa cálida y, por un
segundo, Karen tuvo menos miedo. De cualquier
manera estaba sorprendida. Por un lado decepcionada de saber que el maestro contrataba este tipo
de servicios, por el otro aliviada con el cliente, pues
suponía que él no le haría daño. Intentó sonreír
mientras entraba al apartamento esforzándose por
aparentar naturalidad.

¿Una copa?, preguntó él quitándole la chaqueta.

Sí, gracias, dijo ella notando que no la había
reconocido.

Ramelli le sirvió un trago de color madera en un vaso ancho que ella bebió a largos sorbos.

Él la miraba entre curioso y divertido.

¿Eres nueva en el oficio?

Sí, señor, dijo poniendo la copa vacía sobre la mesa.

Quítame el señor. ¿Nos hemos visto antes?

No creo, mintió Karen.

La había recibido en una sala de muebles blancos. Karen no quería sentarse por temor a ensuciarlos. De todos modos Eduardo no le pidió que se sentara. Sí le pidió que se diera una ducha antes de pasar a la cama y le entregó una barra de jabón antibacterial sin abrir. Luego le mostró una bata y unas chanclas de tela desechables que podría usar al salir de la ducha.

En la habitación todo era blanco. La cama *king size* miraba frente a la chimenea de mármol empotrada a la pared. Al occidente, la vista sobre Bogotá invadía la habitación desde un ventanal del techo al piso.

El coñac había hecho su efecto. La cabeza le daba vueltas y se sentía ligeramente anestesiada. Al principio fue él quien se ocupó de tocarla, pero luego fue su turno. Cierto que al comienzo sintió un poco de asco. Le desagradaba esa sensación en su boca, más cuando tuvo que pasar saliva y evitar las arcadas. Pero después de todo, su cliente había sido amable y en menos de una hora ya iba en otro taxi de regreso al apartamento de Susana.

Tienes una belleza rara, le dijo Ramelli. Me gustaría verte otra vez, añadió contando los billetes ya en la puerta.

Llámame, dijo Karen tuteándolo ya más relajada, mientras recibía el dinero y lo guardaba en su bolso.

¿Para dónde vamos, señorita?, le preguntó el taxista. Según la ficha de identificación, se llamaba Floriberto Calvo. Calle 60 con décima, dijo Karen y sintió un gran alivio de no haber tenido que decir a San Mateo Soacha, ni Santa Lucía, ni Corintio.

En la radio se oía el noticiero *Alerta Bogotá* de la emisora La Cariñosa. La inconfundible voz retumbaba en el Chevrolet Spark:

¡Alerta, Bogotá! ¡Increíble! Porque pensaba que le ponía los cachos, trabajador de la construcción mata a su esposa de veinte puñaladas en la localidad de Bosa.

¡Extra, extra! Un borracho encendió a sargento de policía en Kennedy, porque le pidió cerrar cancha de tejo.

¡Increíble! Rumbero en cuadra picha mató a portero de discoteca por no dejarlo entrar.

Karen intentó dormir, pero con esas noticias era imposible.

Disculpe, ¿será que podemos oír otra cosa?

Claro, mi amor, respondió Floriberto y enseguida buscó otras noticias.

A Karen le gustaba la voz de *Alerta*. También en
la Costa se escuchaba mucho ese programa, pero
no tenía ganas de oír cómo la gente se mataba.
Le dolía la cabeza.

*La mayoría de los bebés que murieron al nacer en
centros de salud de la Costa Atlántica el año pasado
aparecen reportados como afiliados a la EPS Capre-
com. Se encontraron irregularidades en cerca de
veinte Entidades Prestadoras de Servicios de Salud
en las regiones del país, donde el grupo de investi-
gaciones de la Contraloría avanza con un informe
que se hará público a mediados del mes próximo.
Se estima que a la fecha el desfalco a la salud asciende
a los tres billones de pesos. La Contraloría encontró
inconsistencias en el manejo de los recursos de la
salud de los más pobres en más de cien municipios
del territorio. Solamente en Cartagena, más de diez
personas fallecidas aparecen afiliadas, sin contar los
cerca de tres mil pacientes clonados…*

Karen se quedó dormida. Por eso no escuchó
cuando mencionaron a Cruz Salud en la lista de
las EPS que estaban siendo investigadas. De todas
maneras, no habría hecho la conexión con Ramelli
y menos aún con los seiscientos mil pesos que tenía
guardados en la cartera.

Después de abandonar la casa de Santa Lucía,
Karen había pasado tres noches en San Mateo

donde Maryuri, durmiendo en una colchoneta en un pasillo. Había llegado a medianoche, mientras Wilmer trabajaba y la niña dormía. Maryuri estaba demasiado cansada para escucharla. Vivían en una zona cubierta de polvo, donde se podía acceder a un apartamento de cuarenta y cinco metros en un conjunto cerrado con piscina, salón comunal, parque para los pequeños. Las rejas revestían todas las ventanas y los vidrios picados reforzaban los tejados. Maryuri llevaba dos años de casada, su nenita cumpliría un año en los próximos días y a la fiesta estaba invitada Karen.

Le alcanzó una colchoneta a su amiga que la dejaba atravesada en medio de una sala comedor donde también estaba la nevera. La cocina era apenas un mesón con una estufa y un lavaplatos diminuto. Karen se acostó en el suelo con olor a frutas podridas. Tuvo un sueño entrecortado y nervioso. Dos veces se levantó a vomitar. Escuchó llegar a Wilmer en la madrugada. Lo sintió acercarse a ella y bajarle la cobija para mirar quien estaba ahí. Ella cerró los ojos, fingió una respiración relajada. Karen tenía en su memoria su quijada cuadrada, sus hombros anchos, el pelo espeso, la piel aceituna y los ojos grandes y verdes, de largas pestañas y mirada nerviosa.

Cuando lo tuvo cerca, Karen alcanzó a sentir su olor a cigarrillo, a sudor, a lluvia y gasolina. Quiso abrazarlo pero se contuvo. Además, él creía que ella dormía.

Una hora después sonó el despertador. Lo siguieron los pasos de Maryuri, los gritos, el olor a café, las exclamaciones de la nena mientras su mamá le daba un huevo. Karen sentía que todo pasaba encima suyo y ese olor a mañana y esos sonidos de familia la reconfortaron por un momento hasta que recordó. De nuevo sintió una gran melancolía. Maryuri le acarició la cabeza y le dio un beso en la frente luego de dejar la vajilla en el lavaplatos:

Estás ojerosa, duerme un rato más, llevo a la nena al jardín y me voy a trabajar. Le diré a Willy que te lleve al trabajo.

17.

La llevó hasta La Casa de la Belleza solo porque Maryuri se lo había pedido. Por la ventana Karen vio la ciudad más fea que nunca. En el parqueadero había otros taxis.

Hágame una perdida, dijo Wilmer.

Karen obedeció. Sacó su celular y marcó el número que le dictó Wilmer. Luego lo escuchó repicar.

Ahora grabe mi número. Ya yo tendré el suyo, dijo en tono autoritario.

¿Y eso para qué quiere mi teléfono?, preguntó Karen.

¿Para qué va a ser?, dijo él con sequedad. Le echó una mirada de arriba abajo y no añadió nada. En ese momento, Karen quiso que él la llamara. Cuando llegaron, vio que él había puesto el taxímetro:

Ya sabe, me debe treinta y seis mil pesos, fue lo último que dijo.

Karen se bajó del taxi pensando que tendría que pedirle posada a quien fuera y salir esa misma noche de San Mateo. Tan pronto llegó se encerró en el baño. Tomó una cuchilla de afeitar y se hizo un corte minúsculo en el talón. Ensayó varias veces en un pié, luego en el otro. Después vomitó, aunque apenas se había comido media arepa de desayuno, se puso el uniforme y entró a la cabina.

Ese día como a las tres timbró el citófono. Era Susana preguntándole a Karen si estaba libre: «¿Puedo subir y comemos juntas? Solo diez minutitos». Y así fue. Llegó con una pera y un sándwich de mortadela; le dio la mitad a Karen, quien sacó de su bolso unas papas y ahí, en medio de su cabina, acabaron improvisando un picnic.

La veo como alicaída, Karencita.

Me quedé sin casa y me preguntaba, no sé si es muy abusivo...

¿Quiere pasar unos días conmigo?

¿Segura?, preguntó Karen.

Claro que segura, dijo Susana. Probamos a ver cómo nos va. El sitio es pequeño pero está muy bien ubicado: es en el norte. Para Karen bastaba con esas palabras: «es en el norte» era la clave de lo que estaba buscando. No importaba que a veces Susana le pareciera grosera, un poco vulgar; hablaba muy fuerte, usaba ropa apretada, la miraba con una fijeza húmeda en los ojos que a veces la intimidaba, pero de momento no tenía una mejor opción.

Al final de la jornada, Karen y Susana salieron juntas. Su nueva amiga había tomado un taxi, como si eso hiciera todos los días. Karen callaba. Hace tiempo venía observando que Susana tenía más dinero, mucho más dinero que el que podía conseguir en la Casa.

El apartamento de Susana quedaba en un sector exclusivo. Era pequeño y había pocos muebles, todos modernos y de buena calidad. Apenas llegaron, Susana sacó de la nevera una botella de vino blanco y le sirvió una copa a Karen, que no terminaba de salir de su asombro. Estar ahí era como haber entrado al set de una de las novelas que solía ver en televisión. Las dos sillas rojas de pasta esmaltada, el afiche de Andy Warhol, las cortinas de lentejuelas, todo le resultaba sofisticado y a la vez extraño.

Cuatro noches más tarde, Karen haría su primer servicio en New Hope. Más adelante, en una de nuestras conversaciones llegamos a la conclusión de que en esa madrugada, mientras ella se metía a la cama después de haber pasado la noche con Ramelli, yo empezaba a levantarme en mi apartamento de la 93, a cincuenta cuadras de distancia en el mismo amanecer ocre.

Me llama la atención que nadie se refiera a la belleza singular de la luz en la ciudad. Pienso que si fuera artista me levantaría a la madrugada e intentaría captar ese terracota vidrioso descendiendo de la montaña. Me habría gustado ser artista. Quizá fotógrafa. Y pienso que un proyecto bello sería tomar cientos de fotos de personajes diversos en distintos días pero a la misma hora exacta. Supongamos, cuatro y cincuenta y siete de la madrugada. El lente pescaría entonces a una mujer madura sentada en la cama, con un camisón de seda, la cara pálida y arrugada, el vaso de plata sobre la mesa de noche con el agua todavía fría, el libro de Emma Reyes, la vista a la ciudad atrás, como un espectro. En otra imagen estaría Karen en un taxi contando los billetes con el maquillaje corrido y la expresión tensa.

De camino a la cocina, recojo el periódico. Me preparo un jugo de naranja mientras la cafetera hace su trabajo. Vuelvo a la cama con una bandeja con tostadas, jugo y café. Me tumbo con el periódico y noto que tengo un ligero dolor de cabeza. Apenas dos whiskies antes de salir a la misa, me digo. La edad tiene su precio. Doy dos sorbos al jugo, me acomodo los anteojos y tomo el periódico con una mano y el café con la otra. Como tantas mujeres de mi edad, tengo una motricidad muy fina. No en vano tuve que tomar lecciones de mecanografía, bordado y croché, entre otras delicadezas.

Leo con atención un especial sobre el robo a la salud. Casi me echo el café encima cuando encuentro en la lista a Cruz Salud y, seguido, el nombre de Ramelli como representante legal. El informe explica que estas entidades prestadoras del servicio crean pacientes, los clonan, suben al sistema los que ya han fallecido y formulan medicamentos que nadie solicita para luego quedarse con los recobros al Estado. Ya sabía de oídas que Diazgranados era un pícaro consumado, su cara aparecía en los diarios casi todas las semanas y lo mismo en los noticieros de la noche, pero, como siempre, no pasaba nada. En cuanto a Ramelli, me intrigaba cómo Lucía podía haber pasado treinta años con él. El nombre de Aníbal Diazgranados no aparecía en el artículo.

Al pasar a la página de Sociales, me topo con las fotos de la misa. La crónica es rosa, escrita por una muchacha que se muestra poco menos que obnubilada con los excesos de lo que se daba en llamar «un matrimonio a la antigua». Harta de leer, sigo con las columnas de opinión. A menudo no reconozco los nombres de quienes firman. No sé si son cada vez más jóvenes, si los que conozco se pasan lentamente a la página de obituarios o si ya estoy desconectada de la realidad nacional. Quizá un poco de las tres.

La infelicidad que había sentido en la boda me recordó mi fiesta de quince. Papá empeñado en hacerla según la tradición colombiana, me compró un vestido de seda, ofreció champaña y bailamos el vals. Tuve que aceptar el *bouquet* que me regalaba este o aquel. Ahora que lo pienso, tal vez fue jus-

tamente en esa ocasión cuando tomé la determinación de salir del país y hacer mi vida fuera. «Se
siente estrecho», recuerdo haberle dicho a la esposa
del ministro Obando. «No te entiendo», había res-
pondido ella. «No tiene importancia», dije. Si mal
no recuerdo, esa fue la última vez que tuvimos algo
parecido a una conversación. Ahora que lo pienso,
no haría falta explicar que así vivamos en una ciudad de ocho millones de personas, al final siempre
estamos los mismos en los mismos lugares, como
si viviésemos en una villa medieval.

Teresa y yo habíamos crecido juntas y entra-
ñables, pero al entrar lentamente en la adultez, la
diferencia entre ambas cobró fuerza y acabó por
separarnos. Miro el reloj y antes de dormitar un
poco más, decido llamar a Lucía apenas sean las
nueve. Camino descalza hasta el pequeño equipo
de sonido al otro lado de la habitación y pongo un
disco de Erik Satie.

¿Me espera y traigo un chocolate? Ah, y de paso
también el bolso, no sea que las gatas me echen algo
dentro o se lo roben, le dijo Susana a Karen aquella
tarde en que la recibió en su casa por primera vez.

Susana sale en carreras dejando su iPhone, así
como la camilla llena de migajas. El sonido de un
mensaje entrante hace a Karen fijarse en el teléfono.
Lo toma entre las manos y lo mira; aunque no es
su intención leer, le gana la curiosidad: «Si quiere
sexo pague, pero no me maltrate», luego aparece

un hombre diciendo: «Gata, no se ponga sensible, le pago el millón acordado».

En ese momento entra Susana y Karen deja el teléfono donde estaba.

¿Chocolatina Jet?, pregunta.

Lo que más me gusta es la lámina, dice Karen.

Sí, yo cada día me como una y leo a ver qué me sale, dice Susana.

A ver qué tenemos para ti el día de hoy: ay, el murciélago, dice Susana riendo antes de adoptar una postura ceremoniosa para iniciar la lectura:

El murciélago (Pipistrellus, pipistrellus)

Los murciélagos son los únicos mamíferos voladores sobre el planeta. Aunque parecen tener alas como las aves, en realidad son sus dedos extremadamente prolongados unidos por una membrana que se extiende hasta su cola, déjame ver los dedos, dice Susana tomándola de la mano. Ay, es cierto. Dedos de murciélago, añade antes de continuar. Perdón, digo, alas: *Contrario a la creencia popular, los murciélagos no se alimentan de sangre en su gran mayoría. Algunos se alimentan de frutas, insectos, néctar, y en un pequeño porcentaje, del desangre de animales.*

Ahora te llamaré Solina, terminó por decir Susana.

¿Cuál Solina?

Solina, la tímida secretaria que acaba por volverse una vampira come hombres en *Drácula.*

¿La película?

Sí, Solina.

Esa no me la vi. La verdad, si me vas a poner un apodo, prefiero Pocahontas.

¿Pocahontas? Pero ese nombre es de india, suelta Susana risueña.

Y medio india sí soy, ¿o no?, le responde Karen, dándole el último mordisco a la chocolatina.

18.

Terminó de hacerle un masaje adelgazante a Rosario Trujillo y no sintió curiosidad al escucharla hablar en inglés, como no le importó verla ponerse su gabán Carolina Herrera y mirarla de los pies a la cabeza con el ceño fruncido y la expresión de asco en su rostro estirado.

Agradeció con una sonrisa amplia la propina de cinco mil pesos. Estaba aprendiendo a jugar cara de póker, así como a comprender que quien aprende el arte del fingimiento está más inclinado a ganar. Rosario Trujillo era una de esas mujeres que no podía pasar más de cinco minutos en un espacio sin hacer sentir su superioridad.

En unas de esas sesiones en las que nos reunimos las tres con Lucía para organizar los apuntes para el libro, Karen habló de la impresión que le producía Rosario y fue Lucía quien evocó a la señora Kilman, ese personaje de *Mrs. Dalloway* que siempre estaba buscando hacer sentir lo rica que era ella, lo pobre que era el otro; su superioridad, la inferioridad del otro. Y así, dice Woolf en el libro, la mujer acaba por convertirse en algo como un espectro, uno de esos espectros con los que se batalla en la noche, uno de esos que nos chupan la sangre y la vida, dominadores, tiranos.

Pensé que Karen se sentía aliviada, de cierta manera, al ver que Rosario jugaba su papel desde la inseguridad, o la amargura, que no era una mujer feliz y que, al igual que ella y todos los actores de esta trama, interpretaba un papel inevitable, como en una pieza de Shakespeare donde los personajes no logran escapar de su destino, por más que puedan preverlo, como quien sabe que dando un paso más se caerá al abismo y aún así lo da.

Pero para Lucía, mi mirada tendía a idealizar los motivos de Karen, a enaltecerlos y a darles un elemento fantástico para transformarla en heroína. «Karen», decía Lucía cuando empezamos el proceso de escritura, «es la heroína de esta historia, sin duda, pero es una mujer de verdad. Este no es un cuento de hadas ni una historia épica». Para Lucía, Karen dejó de sentir a Rosario Trujillo como una amenaza, cuando comenzó a dormir en el norte, a hacer las cuentas para tener el mismo gabán Carolina Herrera, o el bolso de Prada de su cliente, sin que comprarlos fuese un absoluto imposible.

Siendo estrictamente pragmáticos, la mayor diferencia entre ellas consistía en la cartera. Bueno, en la cartera, la gabardina, los zapatos, en fin, en las cosas. Karen era una buena observadora.

En ese trato inmediato, en ese espacio privado donde ambas compartían un cuartito de quince metros cuadrados a puerta cerrada con olor a lavanda y música Nueva Era, no era el cuerpo desnudo de Rosario Trujillo lo que la hacía superior, era el precio de cuanto llevaba puesto. Al menos así lo interpretaba.

¿Era su acento bogotano con esa voz chillona y esa entonación propia que usaban para el servicio lo que la hacía mejor? ¿Era porque ella tenía una sirvienta y Karen no? ¿Era esa forma de decir *cómo le va* con un golpe seco en la última sílaba y empinando la voz? No importa, el punto es que «algo» le concedía el privilegio de tratar a Karen con antipatía, un privilegio que Karen bien disfrutaría poder tener en ciertos momentos, pues así como todas sus clientes parecían tener el derecho a tratarla mal —porque tenían un mal día, porque así eran, porque les daba la gana—, ella siempre tenía que poner la otra mejilla, sonreír, aguantar, o bien buscarse otro trabajo.

Aquella tarde de agosto, Karen pensó en la conversación que había leído en el teléfono de Susana. Quiso llamar a Emiliano. Pensó en el millón de pesos de los que hablaba el chat. El dinero que ella había ahorrado en ocho meses y perdido en una noche, Susana lo conseguía en un fin de semana. Sacó su teléfono para llamar a Emiliano antes de su cita de las seis de la tarde. A diferencia de otras veces, su mamá estuvo amable. Parecía animada y le contó que ya estaba tramitando la interdicción que certificaba psiquiátricamente la inhabilidad del tío Juan y así recibir su pensión. La tendrían en unas semanas. Eso significaba un gran cambio, pues ahora sería su madre quien manejaría el dinero y el tío pasaría a depender de ella, no al contrario. Sonaba contenta. Luego pasó Emiliano y contó un chiste que Karen no entendió. Hablaba muy rápido hasta quedarse sin aire. Repitió el chiste dos veces.

¿Cuándo vienes, mamá?, dijo al fin. Hacía tanto tiempo no la llamaba mamá. Cuando escuchó esa palabra se sintió lejos.

Ya pronto, hijo, ya pronto.

¿A las tres?, preguntó Emiliano.

Ya quisiera a las tres, dijo Karen. El lunes voy, añadió.

Hoy es lunes, dijo Emiliano. A Karen le sorprendió que el niño lo supiera.

Emiliano le cuenta a su mamá que ya es mejor en fútbol y que ya no quiere la bicicleta, sino unos guayos, unos buenos guayos.

Si alcanzo, te regalo las dos cosas para Navidad mi vida.

Falta mucho. ¿Cuántos *Bob Esponja* faltan para Navidad?

Muchos, dice Karen, pero el tiempo se pasa rápido.

Falta mucho para Navidad, repite Emiliano.

Es cierto. Falta mucho, pero también falta muy poquito, dice Karen y no quiere pensar que la conversación la aburre.

¿Y los guayos?, vuelve a preguntar.

Te los llevo, mi amor. Te lo prometo.

Esa tarde, Karen y Susana salieron juntas como si fuesen compañeras de toda la vida. Un día después de esa conversación, Karen llevó sus cosas donde Susana. Y esa misma noche, mientras ambas se acomodaban en la misma cama, Karen se atrevió a preguntarle por la conversación que había leído en el teléfono.

Llevo poco más de un año como prepago, muñeca, le dice Susana apagando la luz.

¿Has podido ahorrar?, pregunta Karen, sorprendida de la naturalidad con que se da la conversación.

Estoy comprando este apartamento.

¿Y cuánto cuesta?

Trescientos cincuenta palos, gatita, le dice Susana.

¿Te puedo preguntar cuánto haces en un mes?

¿En un mes? Entre ocho y diez palos.

Karen calla. Le sorprende la rapidez con que hace el cálculo: es ocho veces lo que ella gana en la Casa. Es el sueldo de un viceministro, le dije yo cuando me lo contó.

¿Y tienes que hacer cosas horribles?

A veces, pero todo pasa.

Solo he estado con un hombre en la vida, dice Karen.

Susana suelta la risa.

Lo estás pensando. Solina, dice Susana. Solina la come hombres. Ya yo decía que ese nombre era una premonición. Conste que no fui yo, fue la cho-colatina Jet la que te marcó el camino.

De come hombres no tengo nada, oye.

Tal vez, pero tienes miedo, le dijo Susana. Yo el miedo te lo veo como si fuera una mancha oscura que llevas en la mirada. El miedo lo traes encima. Se te ve en los gritos que pegas de golpe, en la risita nerviosa, en ese tic de quitarte el pelo de la cara. ¿Y qué vas a hacer para sacarte el miedo? Lanzarte a eso que te hace sentirlo como el que se sube a un caballo justo después de que lo manda volando lejos.

Karen calla. Piensa que Susana es una psíquica. Sabe más de ella que ella misma. Y aunque así no lo haya pensado justo en ese momento, ahora que ve salir a Rosario Trujillo de su cabina, vuelve a ella este recuerdo con una claridad que no había tenido antes. Luego clava los ojos en el billete de cinco mil pesos y se siente como cuando los adultos tienen un recuerdo de infancia donde algo, digamos la casa de la abuela, era enorme, pero al regresar en la adultez parece haberse encogido, más que eso, el espacio parece apocado, insignificante. Bueno, eso le pasa ahora con su clienta, desde que el dinero que traía encima le alcanzaba para soportar su insolencia, la mujercita, se había reducido.

19.

Le había bajado los calzones y la tenía sobre la cama donde se hundía en ella con rabia, mientras gritaba con la expresión tensa, adolorida. Ella gritó, dejó escapar un par de lágrimas y vio cómo las sábanas se teñían de rojo, lentamente. Ya nada sería igual, pensó. Y enseguida sintió la bofetada de Luis Armando calentarle la mejilla justo antes de volver a darle de beber de la botella y a meter sus dedos untados de coca entre su boca.

Comenzó a llorar. No había pasado media hora desde su llegada.

Cuando él la llamó, alcanzó a imaginarse una habitación con rosas blancas, un baño de espuma en la bañera, una copa de champaña, y pensó que Luis Armando sería tierno y delicado, que «no haría nada que ella no quisiera», una frase que le había escuchado decir numerosas veces durante las

muchas llamadas telefónicas que habían intercam-
biado.

En un momento dado, Luis Armando sonrió.
Como un náufrago que alcanza a ver tierra firme,
Sabrina le sonrió de vuelta. Por un segundo creyó
que todo había quedado atrás. Pero enseguida él se
incorporó y dejó escapar una carcajada. Era como
si entre dientes dijera «te volví a engañar». Sabrina
pensó en su mamá. Pensó en su mamá diciendo,
«si no tienes nada bueno que decir, mejor no digas
nada», pero no pudo pensar en algo bueno, ya fuera
para decirlo o para callarlo, como no volvería a pensar en algo bueno ni malo nunca más en su vida.

20.

En lo que ella más adelante habría de describir como una sala de espera con muebles en madera de hace cincuenta años carcomidos por el gorgojo, Consuelo Paredes espera ser atendida por el fiscal encargado del caso desde hace más de dos horas. Otras siete personas esperan a su lado con expresión sombría.

¿A qué hora me dice que regresa?

Está en su hora de almuerzo, siéntese por favor, dice la secretaria sin dejar de limarse las uñas.

Pero llevo más de dos horas.

Se le debió presentar alguna eventualidad.

Consuelo Paredes ve salir y entrar agentes de criminalística, oye que uno le grita a otro: «¿Paleta, y esta vez el cuerpo sí le quiso colaborar?». El otro hace un gesto de molestia: «Ni mierda», responde. «Y eso que le ofrecí plata». El otro ríe sin ganas.

Cuando por fin llega el fiscal, cuchichea con la secretaria, quien parece estarlo poniendo al día en lo sucedido durante su ausencia. La mujer usa una máquina de escribir que ocupa la mitad de su enorme escritorio.

El fiscal se da media vuelta y saluda con una sonrisa y un gesto de la mano:

Tengo cinco minuticos con cada uno.

La secretaria hace seguir a las cuatro personas que habían llegado antes de Consuelo Paredes. Son casi las cinco de la tarde cuando la llaman. En todo el tiempo que lleva ahí sentada ha estado pensando muy bien las palabras que le dirá al fiscal para aprovechar lo mejor posible el tiempo en su oficina. El hombre lleva un traje color boñiga y una camisa crema. La corbata es gruesa y está torcida. Se está quedando calvo y no debe tener más de cuarenta y cinco años.

¿En qué le puedo servir?

Mi hija, Sabrina Guzmán, fue asesinada.

Mi señora, lamento mucho su pérdida. Pero, cómo le dijera yo, si mira esas estanterías, todo eso son expedientes. Son los de este año y le garantizo que hay más de quinientos.

Discúlpeme pero no me parece eso posible, recuerda haberle dicho Consuelo.

Mi señora, si quiere nos sentamos los cinco minutos a criticar el sistema de justicia, pero si prefiere nos ponemos a hablar del caso. Mire, ahí tengo desde una denuncia por el robo de un celular, a un atraco con arma blanca, una violación, el robo a varios apartamentos, más celulares, más atracos y algunos asesinatos; cómo le dijera, es una miscelánea.

¿Pero acaso todo importa lo mismo? ¿Da igual un asesinato que un robo de un celular?

No, mi señora, no da igual, tienen un estatus diferente y cuentan con protocolos diferentes. Pero dígame una cosa, su hija, ¿fue asesinada? Si quiere concentrémonos, mi señora.

Mi hija Sabrina Guzmán murió el pasado 23 de julio en circunstancias desconocidas. Según el parte médico del hospital San Blas, murió por tomar una medicina llamada Tryptanol, pero la necropsia desmiente esa teoría e incluso muestra señales de violencia sexual y consumo de cocaína por inserción violenta en el cuerpo…

¿Me está diciendo que a su hija la violaron y que alguien quiere muñequear el proceso para ocultar lo que pasó?

Se puede decir así, dice Consuelo Paredes, contrariada.

Uno: puedo ayudarle consiguiéndole un permiso judicial especial de la Fiscalía para obtener la historia clínica de la muchacha en la San Blas. Dos: intente hablar con el médico, aunque ellos tienen derecho a secreto profesional y puede quedarse callado si así lo decide. Tres: si quiere mi consejo, consígase un investigador privado.

¿Pero no se supone que ustedes son los que responden por la justicia?

Muy bien dicho, mi señora, se supone. Y créame, hacemos lo mejor que podemos, pero mire esta oficina, ¿Ve un computador? ¿Una tableta? No, lo que hay es quinientos casos archivados en carpetas de papel para los cuales contamos con un equipo de agentes de criminalística bastante limitado y más encima mal pagado. Mi señora: el trabajo se hace en la medida en que se puede hacer, pero no tenemos el tiempo que quisiéramos, ni los recursos. Créame, no es cuestión de mala fe. Y ahora, si me permite…

¿Pero puede mirar en qué va el caso, me puede decir qué está pasando?

El fiscal abre una caja que tiene debajo de su escritorio y escarba dentro de ella. Al cabo de unos cinco minutos saca una carpeta, la abre, la mira y dice:

Estamos estableciendo los parámetros para la investigación por parte de criminalística.

¿Me está diciendo que han pasado casi dos meses y están «estableciendo los parámetros de investigación»? ¿Qué significa eso?

El fiscal se aclara la garganta antes de continuar.

Significa que se está estableciendo una matriz de investigación, según la cual se define un programa metodológico para iniciar las labores de inteligencia, añade alzando una ceja.

¿Y eso va a ser cuándo?

¿Qué cosa, mi señora?

¿Las labores de inteligencia que realizan de acuerdo al programa metodológico que se define con base en la matriz de investigación?, dice Consuelo Paredes.

El fiscal vuelve a carraspear.

El problema, mi señora, es que ese parte médico vino a torcer la investigación. Verá: de no haber sido por eso, la autopsia se habría hecho inmediatamente y así habríamos ido ganando tiempo porque enseguida se hubiera establecido que la causal de la muerte fue un homicidio. En lugar de eso, la necropsia es de hace apenas una semana. Eso sin contar con que la necropsia no es contundente frente a la causa de la muerte, pues dice que «lo deja en manos de las autoridades».

¿Me está diciendo que no fue un homicidio? ¡Son ustedes quienes deben esclarecer si fue o no un homicidio!, exclama irritada.

¡Exactamente!, dice el fiscal con una sonrisa exagerada. Muy bien, muy bien, nos vamos entendiendo. Primero: establecer si fue un homicidio. Y ya después ahí sí se puede sacar esta carpetica y que pase a la unidad de homicidios. ¿Me sigue?

Consuelo Paredes está pálida. Se siente más sola que nunca. Ahora entiende que será aún más difícil de lo que esperaba.

¿Cuánto tiempo? ¿Cuánto tiempo para que tengan algo, señor fiscal? Para que establezcan que fue un homicidio.

Regáleme una semanita, mi señora, una semanita y la pondremos en contacto con el agente de criminalística encargado del caso para que usted pueda discutir con él estas inquietudes. Vuelva en ocho días y yo le tengo la orden para que consiga la historia clínica de la muchacha en el San Blas. No desesperar, entregarse a Dios y rezar, mi señora, rezar mucho.

Disculpe, señor fiscal, ¿puede darme su celular o su correo electrónico?

Con todo gusto, dice volviendo a carraspear. Luego de dictarle la información, añade en un tono más bajo: me da pena con usted, mi señora, pero ya hace rato se nos pasaron esos cinco minuticos.

21.

Ramelli había sido su primer cliente y se iba convirtiendo en el mejor. Se veían dos o tres veces a la semana. En un par de ocasiones habían comido juntos. Nunca se habían visto de día. Por eso cuando él la llamó a invitarla a almorzar el domingo siguiente, Karen se preguntó si quería verla a ella o a Pocahontas. Como una intérprete, se hacía cada vez más hábil para cambiar el registro de una a otra. En la Casa seguía siendo Karen, más aún después de ver la experiencia de Susana, quien había sido despedida un par de semanas atrás, luego de encontrar su chaqueta de cuero manchada de tintura para el pelo y haberse lanzado contra Deisy.

Karen sabía que, si era cautelosa, podría mantener su doble vida por unos meses y luego abandonar la Casa para siempre. Pero eso sería cuando ella quisiera, no cuando se viera obligada a hacerlo. La lección le sirvió para aprender a mantener la dualidad de sus identidades. Pocahontas aparecía con las botas Ferragamo y el bolso de Massimo Dutti, mientras Karen seguía apareciendo en la Casa con sus tenis Croydon y su cola de caballo.

Ojeaba las revistas con la atención de un estudiante que quiere aprobar un examen. Se preguntaba qué debería ponerse el domingo. Comenzaba a aprender ciertos códigos. Dolce & Gabbana, Armani o Versace le parecían formas de hablar sin tener que decir las cosas a gritos. Esa noche tenía una cita con un estadounidense que en las últimas semanas la había llamado en varias ocasiones. Tendría que comprar otro bolso, pues no podía aparecerse siempre igual.

El esfuerzo por interpretar el personaje era tan intenso, que todo el dinero se le iba en ello, en lo que podríamos llamar la caracterización. Era tal su entrega a Pocahontas, que no recordaba haber entrado al juego para conseguir el dinero que le permitiría traer a Emiliano de Cartagena. Y más que eso, su recuerdo le resultaba doloroso, un sentimiento que aumentaba a medida que Karen se iba alejando de la persona que era al llegar a la ciudad.

Después de abandonar la pieza de Santa Lucía, tenía constantemente la tentación de exponerse al peligro, someterse y dejarse caer, quizá para demostrarse a sí misma que esta vez sería ella quien podría controlar la situación.

Karen hablaba poco de Wilmer. Solo al final supimos que se habían seguido viendo. Creo que su relación con él le causaba tanta culpa que no era capaz siquiera de nombrarla. Salió de la habitación del Laguna Azul cansada, con setecientos mil pesos en efectivo. Hizo una llamada a Wilmer que no duró más de diez segundos y siguió su camino. El domingo amanecía y las bancas del parque de la 59 estaban tomadas por borrachos.

John Toll abandonó la habitación del motel un poco después de Karen; dobló en la dirección contraria y tomó un taxi al azar, sin saber que intentarían robarle el maletín y hacerle el paseo millonario. Karen no estaría ahí para oírlo gritar, tirarse del auto, correr doscientos metros antes de recibir tres impactos de bala que lo dejarían tirado en el suelo desangrándose.

Al cliente norteamericano le sudaban las manos y solía pedir excusas por cualquier cosa. Quién diría que ese hombre torpe e inseguro en la cama, había peleado en Irak y Afganistán. Obviando los detalles, habría que decir que le gustaba el sexo convencional y no la quería a su lado por mucho tiempo, todo lo cual le había resultado cómodo a Karen.

A Karen le gustaba esa hora en donde las criaturas de la noche, con ojos enrojecidos y tufo de alcohol, se mezclan en el mismo andén con los madrugadores deportistas en camino a su rutina de gimnasio. Verlos a todos juntos en el mismo espacio, la hacía pensar en una suerte de hermandad entre unos y otros, quizá una complicidad, una cercanía que en el resto del día y de la noche parecía incongruente.

Quería estar sola. Cerrar los ojos, comer y llorar sin sentirse observada. Y, sin embargo, desde la violación no había podido volver a dormir durante la noche sin que la asaltara el pánico. Por eso agarraba la calle hasta que saliera el sol o se metía a la cama de Susana.

Mientras caminaba, vio un par de avisos de «Se arrienda» y sintió curiosidad. Al tercero quiso asomarse. Tenía veintidós metros cuadrados, sucio y estrecho, con el chorro de la ducha sobre la tasa y un cuarto sin ventanas. El segundo era un primer piso también sin ventanas, tan oscuro que había que encender la luz para alcanzar a verse la palma de la mano. Cuando decidió ver el tercero y último, antes de seguir a su almuerzo con Ramelli, cruzó los dedos.

La fachada era mejor que la de cualquier sitio donde hubiera vivido en Bogotá. El ladrillo a la vista y los balcones de color beige hacían pensar en la inmensa mayoría de construcciones. Como pasaba con otros edificios del sector, este no había vivido tiempos mejores. Aunque hasta ese momento no pensó que estaba buscando un lugar donde vivir, al llegar a la entrada del apartamento supo que quería quedarse.

Una muchacha le abrió la puerta. Le explicó a Karen que se iba a vivir con su novio a un apartamento donde hubiera espacio para su bebé, pero que el contrato con la inmobiliaria estaba vigente por otros tres meses.

Karen se sintió más que complacida con esa posibilidad, al fin y al cabo, tres meses era el tiempo que necesitaba para ahorrar y así conseguir un apartamento más grande, uno donde hubiera espacio para Emiliano y para ella.

Eran cuarenta metros cuadrados con una alfombra percudida, un par de ventanas, una en la sala que miraba a la calle y otra en la habitación. La cocina era abierta y miraba a una pequeña mesa auxiliar con dos sillas, donde Karen vio una taza de té y un libro de historia. Los estantes de la biblioteca, hecha con ladrillos y tablas de madera, estaban abarrotados de libros. Karen se asomó a mirar, no encontró ninguno de Ramelli.

Lo quiero, dijo, quiero el apartamento.

Pero todavía no has visto el baño.

Igual lo voy a tomar, insistió.

La muchacha le pidió pagarle un mes por adelantado y los otros dos meses en noviembre. Karen aceptó. La renta costaba novecientos mil pesos, sacó seiscientos mil del bolso y quedó en llevarle el resto al día siguiente.

El sol se asomaba por detrás de los cerros. Tenía la impresión de que las cosas comenzaban a salirle bien y que a partir de aquí solo podrían ir mejor. Mientras se veía en ese espacio, no imaginó a Emiliano viviendo con ella.

22.

Consuelo Paredes llevaba varios días en pijama. Se cansó de marcar al celular que le dio el fiscal. Siempre entraba a buzón. También le mandó varios correos pero rebotaban. Había salido tres días atrás para visitar a Kollak, de la agencia Kollak y sus Detectives. Le había llamado la atención el nombre, pues su padre seguía la serie con entusiasmo cuando era niña; pensó que podía ser una señal. El Kojak original se escribía con «j» y no con «ll». A diferencia de Kojak, Kollak tenía pelo y se lo tinturaba de negro. Tenía un aire sereno y rastros de acné en la piel. También él había elegido esa profesión, y ese nombre para la agencia porque siendo un muchacho pasaban la serie por televisión y su madre suspiraba por el agente neoyorquino. Como él, usaba traje y corbata y llevaba siempre un sombrero, aunque en su página web aparecía con el uniforme del antiguo Departamento Administrativo de Seguridad.

En la página ofrecían encontrar personas extraviadas, localizar deudores para embargarlos, ubicar cuentas, bienes y automotores, investigar crímenes, homicidios, estafas y robos y hacer exámenes tecnografológicos.

Consuelo llamó y le contestó el mismo Kollak. Le dijo que podía recibirla esa tarde. Tomó un taxi al centro comercial Aquarium, ubicado en Chapinero. En un pequeño local, al fondo del primer piso, estaba la oficina. El hombre, sentado en una silla de madera con tapicería de paño, tenía detrás suyo algunos diplomas y fotografías de exhumaciones. Sobre la mesa no había un computador. Solo un reguero de papeles, lupas, una calavera, una vieja cámara fotográfica, varios lentes y un frasco de Tums. Todo parecía viejo y anacrónico como en las oficinas de la Fiscalía.

Consuelo habló largamente.

Me temo que puede haber un pez gordo detrás de todo esto, dijo entonces Kollak encendiendo un cigarrillo largo de color canela como los del protagonista del seriado.

Si alguien logra falsear un documento médico en una clínica legal, es porque tiene mucho poder. Necesitamos buscar entre las cosas de su hija. Si le parece, mañana hacemos una visita con mis hombres a su casa y a partir de ahí construimos un programa metodológico.

Eso ya lo había escuchado antes, dijo Consuelo decepcionada.

Míreme bien, dijo Kollak abriendo los ojos y señalándoselos al mismo tiempo. Me salí del sistema judicial del Estado porque me harté de la desidia. Todo cuanto sé, lo aprendí allá. Y sin embargo, casi todos los logros en mis cuarenta años de vida profesional los he alcanzado como investigador privado.

Muy bien, señor Kollak, o como quiera que sea su nombre, fue un placer conocerlo, dijo Consuelo ofuscada levantándose de la silla y extendiéndole la mano.

No tan rápido, dijo él. Tenía la misma voz cavernosa y serena del agente de la televisión. Consuelo se volvió a sentar, se dejó caer sobre la silla y estalló en un llanto descontrolado.

Usted es un insensible, gritó ella entre las nubes de humo que invadían su espacio.

Kollak le alcanzó una caja de pañuelos.

Consuelo se sonó la nariz. Poco a poco sus sollozos se iban apaciguando.

Me llamo Obdulio. Obdulio Cerón.

Consuelo calló. Luego le dijo, ya más calmada:

Prefiero llamarlo Kollak.

El tipo sonrió o eso le pareció a ella.

O sea que no habrá justicia en el caso de la muerte de mi hija, dijo Consuelo.

Justicia, no sé, pero Kollak y sus Detectives le ofrece al menos conocer la verdad.

¡Ese nombre de su agencia es ridículo!

Kollak, como si no hubiese escuchado la ofensa, continuó en tono pausado: «Me atrevo a decirle que quien está detrás de esto parece ser un personaje ególatra. No han tenido cuidado con la escena del crimen, pero tampoco temen ser descubiertos. Por eso mi apuesta es porque es una o varias personas poderosas, amos del universo. Tristemente, es posible que haya sido una noche de sexo que salió mal».

¿A qué se refiere?

Es una lástima que no se haya hecho la autopsia de inmediato, pues tendríamos la evidencia de una violación. Ahora ya no la tendremos. Pero sí queda sugerida la posibilidad.

¿Y cómo encontramos al responsable?

Primero hay que encontrar un sospechoso. Para eso hurgaremos entre las cosas de su hija. Ya con eso resuelto, lo podremos vincular al caso.

¿Así de simple?

Tristemente, no. Cuando la justicia no está de nuestro lado, podemos llegar a un callejón sin salida.

No sé si le entiendo.

Como diría mi admirado Sherlock, «nada es más engañoso que un hecho evidente».

Consuelo miró su teléfono, tenía que mostrar un apartamento a pocas cuadras de ahí. Este tipo que parecía un payaso era su única esperanza.

Tengo que irme.

Yo también salgo, si quiere la acompaño y seguimos conversando.

Todavía no me ha mencionado sus honorarios.

Déjeme hacer la visita mañana. Ya con eso planteamos un plan metodológico y ahí le cuento cuánto puede costar. Pero no se haga ilusiones.

¿Por qué insiste en que tal vez no lleguemos a nada?

La experiencia, créame. He visto casos como estos. Es doloroso saber la verdad. Puede ser peor que no saberla.

Eso es ridículo.

No, no lo es. La verdad es necesaria cuando hay justicia. Pero la verdad sin reparación envenena el alma.

Además de investigador filósofo, dijo Consuelo poniéndose de pié.

Kollak tomó su abrigo y su sombrero del perchero e hizo seguir a Consuelo Paredes después de él.

23.

Desde la terraza del restaurante Upper Side, donde espera a Karen, Ramelli ve venir hacia él a un hombre corpulento, de unos cuarenta años. Se acerca con *La felicidad eres tú* en la mano.

¿Es usted Eduardo Ramelli?

Así es, responde con una sonrisa mientras se alza las gafas de sol y las pone sobre su cabellera ceniza y brillante.

¡Qué honor! No sabe lo importante que ha sido este libro para mí...

Me alegra mucho, de eso se trata... dice Ramelli con nerviosismo.

Estoy con mi novia. ¿Puedo decirle que venga? Ella empezó con *Me amo* y fue quien me habló de su obra... y, la verdad, me ha cambiado la vida...

De eso se trata, ¿no?, repite Ramelli distraído mientras ve acercarse a Karen hacia la mesa.

La encuentra preciosa. Sensual y elegante a la vez, se dice mientras recibe la copia de *La felicidad eres tú*. La novia del corpulento se acerca a la mesa y llega apenas unos segundos antes. Karen nota que Eduardo la devora con la mirada.

¡No lo puedo creer!, dice la muchacha llevándose las manos a la cara.

Ramelli vuelve a sonreír.

Me encanta cuando habla de ser como un río que fluye... es algo que intento cada día, dice la chica que se ha puesto roja y parpadea más de la cuenta.

Karen permanece detrás de la rubicunda mujer, sin decidir si sentarse o esperar.

Ramelli termina una frase sobre el despertar del alma, se pone de pie y saluda con un abrazo exagerado.

Siéntate, por favor.

Luego recibe la copia de las manos del hombre, que además de regordetas son velludas, y pregunta a quién debe dedicarlo.

¿Esta es una señal, no crees?, dice la mujer a su novio con una sonrisa.

Verá usted, maestro, yo tenía muy baja autoestima, pero luego de leer *Me amo* eso cambió, empecé a entender que podía tener todo lo que me propusiera en la vida mientras me aceptara con mis propias limitaciones y fue entonces cuando encontré el amor.

Ramelli mantiene una sonrisa fija, exagerada.

La pareja se ve fuera de contexto. Su ropa anacrónica, su exceso de peso, su bonhomía, desentonan con el lugar. Karen mira a su alrededor. Están sentados en la terraza de un cuarto piso con vista a la Zona Rosa. Las sillas son de fórmica transparente, las mesas en metal. En la parte interior, enormes candelabros rojos, también de fórmica, cuelgan de los techos altos. El lugar está pintado de blanco y grandes fotografías de Nueva York decoran las paredes. Mientras Eduardo termina de despedirse de sus admiradores, Karen ojea la carta: *Spring rolls* de lechona, *pepper steak, baked potato, nolita style soup, Manhattan style burgers, pizzetta* de langosta, ensalada Waldorf, pollo Tandoori. No entiende nada. Mira a los franceses de la mesa de al lado comiéndose unos platos exquisitos, pero no sabe cómo se pronuncian y tampoco cómo se llaman. Finalmente la pareja se aleja. Eduardo la mira con sus ojos azul piscina. La toma de la mano mientras aprieta su palma rítmicamente sin decir nada y sin dejar de mirarla. Ella siente un cosquilleo en el cuerpo. Esto es lo más cercano a una cita romántica que ha tenido en su vida. Entonces suena el teléfono de Eduardo y soltándola de golpe le dice:

Perdona, tengo que contestar esta llamada.

¡Compadre!, dice Ramelli. ¿A qué se debe esta grata sorpresa?

Karen alcanza a escuchar una voz de pito al otro lado hablar muy alto, dice algo ininteligible.

¿Es grave?, pregunta Ramelli. Gracias, compadre, estaré pendiente del asunto mientras viajas a Barranquilla. Tendremos que organizar un plan de emergencia. No, ahora no. Te llamo más tarde, compadre. Pero no te preocupes, manejaremos la crisis. Cuelga.

¿Está todo bien?, pregunta Karen.

En eso se acerca el mesero a preguntarles si ya han decidido qué quieren pedir.

Karen ojea nuevamente la carta, ahora con algo de ansiedad.

Quisiera la hamburguesa, por favor, dice devolviendo la carta al mesero.

¿Quiere la *bacon burguer* o la *cheese burguer*?

La bacon, dice, pero sin tocineta.

Eduardo le sonríe.

Con todo gusto, responde el mesero sin corregirla.

Eduardo pide los *spring rolls* de lechona como entrada y de fuerte un BLT sándwich. De beber quiere un *gin tonic*. Karen pide una Coca Cola y enseguida se siente ridícula por haber ordenado como si fuese una niña de nueve años.

¿Te gusta el sitio?, pregunta Eduardo.

Es elegante, dice Karen con timidez.

¿Verdad que sí?, añade Ramelli. La comida no es nada especial, pero la idea es que te sientas en un *top cocktail bar* como los que ves en Londres, New York o París, ¿me entiendes?

Karen asiente. Observa los jardines verticales en el techo. En la zona del fondo están el bar con sus butacas altas, sus sofás de cuero y sus mesas en madera. El cielo es del mismo azul de los ojos de Ramelli. Por un momento se imagina compartiendo una vida con él; una vida donde habría espacio para Emiliano, una casa, un perro, y quizá una finca en tierra caliente donde pasar los fines de semana.

El mesero llena las copas de agua. Eduardo rompe su silencio:

Mirá. Apenas si te conozco, esta viene siendo, qué sé yo, la sexta vez que te veo y, sin embargo, siento que te conozco de toda la vida.

El mesero sirve los *spring rolls* de lechona y Eduardo se lleva un bocado grande a la boca. Parece concentrado en saborear el cerdo recubierto de hojaldre. Con la boca todavía llena, dice que el punto de cocción es el preciso, antes de renegar de la salsa agridulce. Agridulce es para Karen ese momento. Le cuesta comprender ese paso abrupto de una especie de declaración de amor, a los sabores de unos rollos de carne. Ella mantenía su sonrisa y el silencio. Además, Eduardo había olvidado su nombre, o al menos no lo había pronunciado.

Ya sabes que te llamo Pocahontas de cariño, chata, le dijo picándole el ojo.

Al final, el maestro era él, se decía Karen, y quería pensar que todo lo que hacía tenía un sentido más hondo, una lógica que a ella tal vez se le escapaba. Le sirvieron el fuerte y Eduardo seguía hablando de comida. Ahora le contaba de los distintos lugares donde se podía comer pato pekinés en Bogotá. Había olvidado por completo la declaración de amor.

El mejor, de lejos, es el de Thai Ching Express, seguía Ramelli.

Ella no quería admitir que comenzaba a aburrirse. Eduardo completaba un cuarto de hora hablando de platos chinos, tailandeses y vietnamitas; de los restaurantes en Bogotá donde podía encontrarse este tipo de comida, así como el *ranking* de precios y calidad.

La pareja de corpulentos volvió a acercarse. Esta vez la mujer tenía los ojos rojos y las mejillas más rosadas que antes.

No quería irme sin agradecerle una vez más, maestro, dijo a Ramelli; haberlo encontrado hoy aquí es una señal.

El hombre junto a ella asiente con vehemencia.

Verá usted, continuó la mujer de saco rojo cuello tortuga y labial del mismo color, mi bebé me propuso matrimonio hoy —y al decir esto se le escapó un suspiro estruendoso—, justo hoy. ¿Puede creerlo?

Increíble, dice Eduardo dándole un sorbo largo a su *gin tonic*.

Es una señal, insiste la mujer, y una señal que no habría descubierto de no haberlo leído a usted. Querido maestro, permítame invitarlo a nuestra boda.

Sería el más grande honor, agregó el corpulento; pero sí somos groseros… no nos hemos presentado todavía. Alfredo Largacha, proctólogo y un servidor, dijo extendiendo la mano.

Ramelli la estrechó, luego de haberla mirado, quizá más fijamente de lo apropiado en estos casos.

Gloria Motta, bacterióloga, dijo ella alargando la suya.

Son el uno para el otro, dijo Eduardo con la misma sonrisa tensa.

Luego de escuchar que la boda sería en el municipio de Cachipay, Ramelli prometió hacer todo lo posible por acompañarlos, pero anunció que creía recordar un viaje en esas fechas. El doctor Largacha le dejó su tarjeta, «pues nunca se sabe cuándo se hace indispensable un proctólogo», agregó guiñando un ojo. Ramelli, como respuesta, presentó a Karen, a quien con el rabillo del ojo vio tan irresistible y al notar la mirada lasciva que le lanzaba el médico, no pudo evitar la tentación de decir:

Les presento a Karen, mi novia.

Karen casi se atora con una papa frita, pero aunque roja y muy tímida, atinó a levantarse y darle la mano a la pareja.

Al final del almuerzo, frente a un helado frito que Ramelli pasaba con cortos sorbos de un expreso doble, pareció recordar la conversación inicial.

¿Dónde me quedé? Ah, sí… después de vivir mi vida, sin saber cuál era el rumbo y viviendo cada momento sin pensar en el futuro, llega alguien capaz de quitarme el aire y ese alguien eres tú…

Eduardo continuaba hablando al tiempo que repetía el movimiento rítmico y suave de apretar la palma de su mano mirándola con intensidad.

Karen reconoció en esas palabras la letra de «Aventurera» de Carlos Vives, dos días después mientras viajaba en la buseta.

Pero de momento no quería pensar en Ramelli como un fraude, quería dejarse llevar por el romance, sentirse como una quinceañera alborotada. Ramelli le acarició la cara y la besó intensamente ahí, en la terraza de ese restaurante anodino, como si fuesen un par de enamorados.

Justo antes de abordar el ascensor, mientras más que caminar Karen flotaba a pesar de los tacones de ocho centímetros que le torturaban los pies, mientras él la llevaba apretada de la cintura y ella se sentía como una princesa, se toparon con un hombre de nariz aguileña y pelo en pecho.

Doctor, me place verlo, dijo Eduardo.

Igualmente, maestro, respondió el doctor.

Le presento a mi novia, dijo Ramelli, y Karen esta vez saludó sin ruborizarse.

Mucho gusto, Karen Valdés.

Roberto Venegas, dijo el médico.

Ya en el ascensor Karen preguntó:

¿Es tu doctor?

No, querida. Es uno de mis empleados en Cruz Salud, la EPS que tenemos con mi socio.

¿Tienes una entidad de salud?, preguntó Karen.

Imagínate.

Haces muchas cosas, ya decidida a complacerlo y ser su novia de domingo. ¿Me vas a llevar a pasear?, y lo tomó de la mano. Te voy a llevar a volar. Pero lo primero: te tengo una sorpresa y sacó un paquete de la parte de atrás del carro. Carolina Herrera, leyó en la bolsa y ya no necesitó de más palabras ni gestos para sentir que eso era amor puro y verdadero.

24.

Karen llegó a contar una buena parte de lo que ocurrió en aquellos meses omitiendo a Wilmer, no sé si deliberadamente o porque su inconsciente silenciaba el recuerdo de este hombre; el único a quien ella buscaba.

Lucía, sin embargo, cree que Karen calló siempre muchas cosas. El día que habló de su fiesta de quince años, omitió por completo hablar del alisado y de lo doloroso que fue el procedimiento. Tal vez, con el deseo de preservar un buen recuerdo, su mente evitaba recordar aquellas cosas que le resultaban penosas.

Fue semanas más tarde cuando lo trajo a colación mientras me hacía un masaje. Ya tendida en la camilla, me rasqué la cabeza varias veces. Le dije que esos productos de Pantene me irritaban el cabello, que tenía muy graso y debía lavar a diario. Karen pareció ausente por un momento, rolan, te hacen la toga, la vuelta, doman el más salvaje de los rizados. Nixon decía que eso era un desprecio a nuestros antepasados. Yo no sé de eso. Yo solo sé que no me gusta verme en el espejo como una negra desgreñada. A Nixon le creí por un rato. Me pareció que algo de razón tenía él, ¿Si Dios me hizo rizada, por qué contradecirlo? Pensaba yo, que entonces iba a la iglesia casi tanto como me hacía alisar la cabeza. Dejé de hacerme el alisado, pero como ya llevaba cuatro años, el pelo no se encrespó enseguida, se puso raro, como una escoba de alambre tiesa, me sentía fea, después quedé preñada y estaba triste. No soportaba verme en el espejo. Nixon insistía en llamarme negra. Pero yo nunca había pensado en eso. En mí como una negra, no. De pronto en mi mamá, de quien me reía para mis adentros por llamarse «canela» cuando es negra betún. Pero yo, yo tengo otro color de piel, yo sí soy casi canela, tal vez lo más negro que tengo es este pelo apretado y quieto. En la televisión siempre hablan del cabello brillante, sedoso, suave, nada de eso es el pelo de negro. El afro es para los que viven en las invasiones de El Pozón, así me enseñó mi mamá desde pequeñita, para los que viven entre la basura o en los charcos, sin trabajo, sin siquiera papeles, sin una casa. Así me enseñaron a mí, por eso cuando Nixon me llamaba negra y me leía poemas de Artel, yo sentía arderme la sangre adentro, como un orgullo que no conocía de algo que

mejor, añadió. A mí es que sinceramente no me
gusta el cabello afro. Qué le vamos a hacer. Imagínese que en el barrio había una negrita bella, se dejó
su pelo afro ¿y usted cree que consiguió trabajo?
Bien bonita sí era y estudiada, pero nadie quiere ese
desorden en su oficina, en su local, en su tienda y
menos en su salón de belleza. ¿Ha visto una melena
afro bien crecida y agreste? Eso es como un ciclón,
un tsunami. Mamá la veía pasar y le decía: «Te voy
a peluquear un día de estos cuando te quedes dormida, y me voy a hacer una almohada». Yo sol-
taba la risa. La muchacha estudiaba una carrera
rara. Sociología, creo que era. Ella trataba de jun-
tar a la gente, igual que Nixon, hablarles del orgullo y los ancestros y la vaina, y en una reunión se
paró una señora que lavaba ropa y le dijo: «¿Y tanto
orgullo y la joda te ha servido para conseguir trabajo?». Los demás soltaron la carcajada. Me daba
pena la muchacha, pues algo de razón tendrá, no
se debe discriminar a la gente por su cabello, eso lo
entiendo, pero también entiendo que un afro no
queda bien en una oficina. El caso es que la muchacha se fue del barrio. No supimos más qué fue de
ella. Había alquilado una pieza donde una vecina,
apenas se quedó unos meses. Tal vez no era el lugar
para ella. A veces me acuerdo de ella, aunque olvidé
su nombre. Espero que alguien le haya dado trabajo
a la chica para que no se haya tenido que alisar. Eso
para ella, más allá de lo doloroso y fastidioso que

es, habría sido un verdadero trauma. ¿Se da media vuelta doña Claire?, me dijo.

Me la quedé mirando. Veía su silueta. Sus labios, los vi más carnosos que nunca. Sus ojos pardos, los imaginé mirando de noche. Confieso que quise besarla. Quise, pero en lugar de hacerlo me quedé quieta, absolutamente quieta. Traté de controlar el ritmo de mi respiración. Cerré los ojos. Deseé que el masaje de Karen no acabara nunca y que su voz, esa voz que a menudo retumbaba en mis oídos cuando en la cama daba vueltas de noche sin poder conciliar el sueño, me hablara al oído, dulce, suavemente, despacio, con esa cadencia lenta y juguetona, con esa hondura de tambor, con ese sabor, con esa lengua.

25.

Eran las tres de la tarde de un martes, los funcionarios llevaban puestos gorritos de cartón. Estaban partiendo una torta recubierta de abundante crema chantilly y la mujer del aseo, también con su gorrito puesto, repartía Colombiana en vasitos de plástico.

Discúlpeme, dijo Consuelo alzando la voz para hacerse escuchar a pesar de lo alto que estaba la música. Quisiera saber si está el fiscal.

No se encuentra, se fue de puente y llega mañana.

¿Luego el puente no se terminaba hoy?

Pues se habrá tomado el día, yo no sé, dijo la secretaria visiblemente molesta. Además yo no soy secretaria solamente de él.

¿Podría darme su celular?

No, señora, no puedo. No estoy autorizada.

Es que él quedó de ponerme en contacto con el agente de criminalística que va a llevar el caso para que podamos hablar de… dijo que viniera hoy.

¿Y el abogado?, pregunta la secretaria.

¿Cómo dice?

Ellos atienden normalmente a los abogados del caso, no a las familias, dice la secretaria antes de agregar: ponga una tutela. Sin tutela es muy complicado que la atiendan, ¿no ve que él tiene como quinientos casitos en su despacho?

Pero el fiscal me dijo que…

Entienda que él tiene que manejar muchas personas, no puede hacerse cargo de todo, dijo la secretaria llevándose a la boca el vaso de Colombiana.

¿Y no me habrá dejado una orden para pedir la historia clínica de mi hija en el San Blas?

No señora, no me dejó nada, nada, dijo la secretaria y se retiró a saltitos pues sus compañeros habían encendido las velas del pastel y la esperaban para cantar el japi verdi.

Consuelo la siguió y le dijo que el fiscal le había dado un número errado de teléfono, siempre entraba a buzón.

Ni modos, nenita, le dijo. *Sorry*, bebé.

Esa tarde, Consuelo Paredes llamó a su exmarido y le contó de Kollak y de sus dos visitas al juzgado. Contrario a lo esperado por Consuelo, su exesposo reaccionó positivamente a la contratación del agente e incluso se ofreció a ayudar con los honorarios. También se comprometió a ayudar con la búsqueda de un abogado competente para agilizar los procesos. Consuelo le comentó los avances de Kollak y sus hombres, que al parecer no eran más que él y sus sobrinos. Le dijo que habían estado en el apartamento y habían puesto la habitación de Sabrina patas arriba.

¿Encontraron algo?

Una nota escrita en una hoja de cuaderno.

¿Qué dice?

«¿Sabías que hay más de treinta tipos de besos? Y apenas llevamos uno. Espérate a que vuelva y te enseño los otros veintinueve», leyó Consuelo.

Qué asco, dijo Jorge Guzmán. ¿Y está firmada?

No, pero están las siglas: LAD.

¿LAD?, preguntó Jorge Guzmán.

Ni idea, dijo Consuelo.

¿Crees que sea él?

Quién sabe, pero para poder hacer la prueba grafológica hay que saber el nombre.

Vamos a averiguar quién es ese tal LAD.

Consuelo prefirió callar. Iba a comenzar a darle detalles de la visita al hospital San Blas y la matriz de seguimientos que harían, cuando su esposo la interrumpió:

Creo que lo mejor es que estas cosas las hablemos en persona, nunca se sabe.

¿Nunca se sabe qué?

Si alguien está escuchando. Por lo pronto ya yo hablé demasiado. Veámonos mañana y mantén la calma. A algún lado tendremos que llegar.

Jorge: ¿qué le hicieron a nuestra nena?

Al otro lado de la línea, Consuelo escuchó al padre de su hija difunta desgarrarse en llanto.

26.

Un golpe seco en la costilla, como una puñalada, la sacó de su ensimismamiento. «Vas a hacer lo que te diga», dijo Luis Armando, quien para ese momento se había transformado en una cosa extraña, un monstruo que sabía golpear, que sabía cómo y dónde poner la mano para no dejar mayor evidencia que el dolor de su víctima. «Pero deja esa cara de miedo, así no me dan ganas de comerte», le dijo mientras buscaba la papeleta para olfatearse otro pase. «¿Qué haces?», se atrevió a preguntar Sabrina al verlo frotarle coca en la vulva. «Te consiento».

Lo último que pensó Sabrina es que todo era su culpa. Nunca llegó a conocer a esa persona que ahora la zarandeaba de un lado al otro, que usaba su cuerpo para descargar su rabia con el mundo. Para ella él fue una voz suave, una voz que la hizo sentirse especial. Un hombre elegante, con clase,

por las paredes hasta el techo y de regreso al suelo.
Soltó una risita idiota. Ya no sentía nada o sí sentía,
pero no le importaba. Tal vez si su mamá hubiera
estado más dispuesta a hablar. Tal vez si ella no
hubiera sido una imbécil, pensó. Intentaba seguir
las instrucciones de Luis Armando: que más rápido,
que más despacio, más rítmico, que imaginara que
era un «bom bom bum», bueno, un helado, que al
tiempo subiera y bajara la mano, pero que más
rápido, no, pero que no tan rápido, que era muy
burda, que mejor se largara de su puto cuarto, le
gritó, y entonces Sabrina pensó que iba a acabar
pronto su pesadilla, una vez afuera, en el pasillo,
todo habría terminado, solo tendría que bajar y
pedir un taxi, un teléfono, llamar a su mamá, nunca
más saldría con un tipejo como este, un desconocido, un psicópata disfrazado de galán, pero entonces el «nunca más» dio un giro inesperado, y él la
agarró del cuello como si fuera a estrangularla, ella
dejaba salir las lágrimas, no podía gritar, no podía
hacer nada, la alzó del cuello y le dijo que nunca
sabría hacer feliz a un hombre, que su cuerpo de
niña enferma daba risa, Sabrina quiso levantarse
pero se sentía débil, Luis Armando seguía en su
juego, como si fuese una muñeca le daba vuelta,
le tiraba del pelo, la giraba a un lado, a otro, ella no
ponía resistencia, ya no podía llorar, pensó que
ya estaba muerta, pensó que era un alivio haber
muerto al fin, había pensado que iba a morirse la

primera vez que deseó que pasara, supuso que llevaban algo más de una hora en la habitación y supo que nadie vendría a salvarla. Ya no importaba. Cerró los ojos. El corazón le iba a explotar. Sangraba. No sabía por dónde, pero sangraba. Una tibieza viscosa en alguna parte, bajo sus piernas quizá. No sabía dónde. Toda esa sangre, pensó. Ya no soy virgen, se dijo. Ya no. Recordó los guantes blancos del Gimnasio Femenino. «El símbolo de la pureza», solía decir la rectora. No lo vio a él vestirse apresuradamente y atarse los cordones de los zapatos con agilidad mientras se volvía a hacer el nudo de la corbata, como si todo hubiera sido una actuación magistral y no estuviera ni borracho, ni drogado, ni loco. No lo vio echarse agua en la cara. No lo vio sentarse en la cama y llamar a su papá. No lo oyó decir lo que había sucedido, ni escuchó cuando su padre le decía que Ramelli se encargaría, que se mantuviera tranquilo. No se vio a sí misma con la boca abierta, los ojos aterrados, como si su vida toda se hubiera quedado suspendida en un grito y no se enteró de nada de esto, porque luego de mucho temerlo, luego desearlo intensamente, Sabrina estaba muerta.

27.

Para Diazgranados una psicoanalista no era muy distinta a una fonoaudióloga o una nutricionista. Quizá por haber estudiado en París, tendría mejores técnicas para ayudarle a perder cincuenta kilos sin dejar de comer, se dijo. Pero lo que realmente lo llevó a llamar fue esa pregunta sobre su hijo. Aníbal quiso saber si Luis Armando tenía una compañera de nombre Aline y su hijo le dijo que no la conocía. ¿Por qué esa doctora que aparentemente no tenía ningún vinculo con él o su familia mentía para sacarle el nombre de su hijo? Pidió cita. Pero luego de pedirla, pidió que la siguieran. Fue así como supo que uno de sus lugares más visitados era un salón llamado La Casa de la Belleza, de donde casualmente también era cliente asidua su mujer.

Después supo que quien atendía tanto a Claire Dalvard como a su mujer era una muchacha pre-

ciosa llamada Karen Valdés, la putita que Ramelli
trataba como a una enamorada. Pensó que al perro
no lo capan dos veces y supo que tendría que estar
alerta sobre el tema. ¿Qué podía saber esa muchacha sobre lo sucedido? ¿No decía el periódico que
una de las últimas cosas que hizo Sabrina Guzmán antes de morir fue ir al salón de belleza?
¿Y si el salón de belleza era el mismo? ¿Y si Claire,
su mujer, Karen y la difunta estaban conectadas
en un espacio vedado a los hombres desde donde
cabían todas las conspiraciones, el secretismo?

Eran las siete pasadas. Los lunes eran un buen
día en la Casa, pero este había sido especialmente
malo. Karen quería hablar con Susana, contarle
que se iba a vivir sola. Venía con ganas de conversar, de tumbarse en el sofá y charlar con su amiga.
No tenía clientes esa noche. En el camino compró
un helado. Sería su última noche bajo el mismo
techo, la pasarían bien. Fue solo entrar para sentir que las cosas no serían como había imaginado.
A pesar de lo pequeño que era el espacio, no se
alcanzaba a ver al otro lado por el humo. Tirada
en el sofá, Susana veía *Protagonistas de novela*.
El ambiente apestaba a marihuana. Karen la saludó
sin que Susana respondiera. Se sentó a su lado, pero
no desvió los ojos de la pantalla donde un grupo
de hombres y mujeres, en un estudio pobre, iban
y venían vestidos con una camiseta negra con sus
nombres estampados. Karen leyó «Juver», «Yina»,

Estás bebiendo mucho. Te la pasas ebria... y tra-
bada.

¿Y?

Y eso no es bueno.

¿Qué es bueno para mí según tú, mosquita
muerta?

Karen se quedó callada. Susana encendió el televisor. Ya no aparecían los *Protagonistas de novela*.
Una voz decía: «Guerrillero, desmovilízate, tu
familia te espera», y se veía un campo verde con
girasoles con un cielo azul de fondo y unos niños
corriendo por el prado.

Me voy, dijo Karen.

Ándate.

No, lo digo en serio, me voy. Encontré un apartamento y lo voy a tomar desde mañana. Ya pagué
el mes de octubre.

¿Y Emiliano? ¿Y tu sueño de traerlo a vivir contigo? Lo sabía, sabía que todo era pura mierda, dijo
Susana. Afróntalo, muñeca. Llevas años diciéndote
mentiras. Tú no eres mejor que yo y ya te olvidaste
de tu hijo.

Karen le dio una bofetada. Susana la miró fijamente y añadió:

¿Cuánto te costó alquilar ese apartamento? Si
hasta yo te había dicho que a Emiliano lo podíamos
recibir aquí. Que yo te ayudaba.

Aquí no hay espacio, se apresuró en responder
Karen.

¿Y allá sí? ¿Tienes una habitación para él? O no la tiene porque el dinero para pagar un apartamento de dos habitaciones, lo tuviste pero te lo gastaste en botas, blusas, bolsos y perfumes.

Sin responder, Karen tomó la libreta de teléfonos de Susana, el inalámbrico y se encerró en el baño.

¡Eres una puta! ¡Acéptalo! Una zorra, una interesada, ¡ya solo quieres tener cosas bonitas, *bitch*!, gritó Susana dándole golpes a la puerta del baño.

Llena de rabia, Karen buscó en la letra M de mamá en la libreta de su amiga. Ahí estaba el número de la madre de Susana, a quien nunca había visto pero sí escuchado al teléfono con su hija. Marcó el número que encontró, esperó a que timbrara dos, tres veces.

¿Aló?

¿Hablo con la mamá de Susana?

¿Sí, con quien?

Habla Karen Valdés, soy amiga de su hija.

¿Le pasó algo a Susy?, preguntó la voz al otro lado.

Sí, señora. Ha sufrido una recaída. Está bebiendo demasiado, consumiendo droga, habla incoherencias, está fuera de control, tal vez haya que internarla, añadió Karen con voz pausada. Lo siento mucho. He hecho todo lo que he podido señora, pero la verdad, su hija está enferma y yo no la puedo ayudar.

Cuando Karen salió del baño, Susana se había ido. El televisor seguía encendido. Empacó sus cosas tan rápido como pudo y se fue. Nunca más tuvo noticias de Susana.

28.

Habían pasado años desde la última vez que hizo un manicure y pedicure, pero hoy tendría que hacer al menos cuatro. Dilia no había venido y debían repartirse los remplazos.

Sentada en cuclillas, Karen limaba los callos del doctor Del Castillo con una piedra pómez. Al lado estaba su mujer atendida por Nubia, la más veterana de la Casa.

Karen mira esos pies resecos de uñas verdosas y se pregunta cómo será el miembro del doctor Del Castillo. La idea le produce un ligero mareo y siente un deseo punzante de restregarse la espalda contra la pared.

Sí, chinita, una pena, verdaderamente. Tú que eres joven deberías irte del país, empezar en otro lado. Aquí crece esta «nueva Colombia» de gente con plata pero salida de quién sabe dónde, le decía doña Elena a la señora María Elvira.

Siquiera que los del Country seguimos siendo los del Country. Pero fíjate, el problema de los *nouveau rich* está en todas partes.

Correcto, responde doña Elena.

Y eso sin mencionar la violencia tan terrible.

Es que hoy día hasta tomar un taxi es como lanzarse de un quinto piso.

¿Pero no escucharon la noticia esta mañana por la radio? Un tal John salió de una de esas residencias de Chapinero en la madrugada del domingo y, por no dejarse hacer el paseo millonario, le metieron tres tiros, dice el doctor Del Castillo.

Ah, sí, dice doña María Elvira que parece saberlo todo; John Toll, agente de la DEA, en Twitter informaron que el pobre no sobrevivió, lástima, era un rubiecito de lo más querido...

Karen siente ganas de vomitar, pero se aguanta. Ve tres pies en vez de uno. Hace un esfuerzo. Respira, como le he dicho que haga. Se concentra en inhalar y exhalar. Intenta contar hasta cien, como le he recomendado hacer cuando está al borde de un ataque de pánico. Trata de imaginarse que está en el campo. Sigue habiendo tres pies en vez de uno. No logra contar más allá de diez.

Ay, qué vergüenza con la opinión internacional, dice doña Elena, por eso nos ven como nos ven.

Qué dolor de país, añade doña María Elvira.

Es que a esos pícaros habría que agarrarlos y darles su merecido, dice el doctor Del Castillo. ¿Y te sabes los detalles del incidente?

El hombre se resiste a entregar el maletín, entonces le dan tres tiros. Se está desangrando cuando un buen samaritano lo arrima al Hospital San Ignacio, pero ya apenas llegando se desangra el pobre tipo…

¿Y esto sucede dónde?

En el parquecito ese de la 59, imagínate.

Una monstruosidad, dice el doctor Del Castillo.

Karen se pregunta si habrá otro gringo que haya salido de las residencias de Chapinero, atravesado el parque de la 59 en la madrugada del domingo y recibido tres disparos, distinto al John que la madrugada del domingo le entregó un sobre con setecientos mil pesos.

¿Y qué hacía el tipo ese en Chapinero a esas horas?

Pues seguro con una fufurufa. ¿No ves que por ahí hay residencias?, dice doña María Elvira.

Justo en ese momento, Karen pierde el control sobre el corta uñas. El doctor Del Castillo suelta un chillido.

¿Y la fufurufa no sería una cómplice?, pregunta doña María Elvira ignorando el grito.

¡Auch! ¡Mija, cuidado que estoy casi muerto pero no del todo! Pobre vieja, dice el doctor Del Castillo como entre dientes, que sea fufurufa no la convierte en asesina. Unas gotas de sangre corren por el agua.

Pues una prostituta no es ninguna santurrona, perdóname, dice doña María Elvira.

Pobre familia, añade doña Elena.

Pobre, le hace eco doña María Elvira. ¿Sabían que el tipo luchó en Afganistán y viene a morirse en Bogotá a manos de un indio salvaje? No hay derecho.

Permiso, dice Karen apenas con un hilo de voz. Corre hacia el baño. Vomita. Luego se sienta sobre la tasa. La cabeza le da vueltas. Intenta pensar. Por un momento quiere llamar a Wilmer, preguntarle si fue él quien lo hizo. Tiene una oscura corazonada. Se levanta. Baja a la segunda planta sin dar explicaciones al doctor Del Castillo, que se queda mirándola con la boca abierta. Entra a la cabina, busca en su billetera la tarjeta de Consuelo Paredes y le marca. Luis Armando Diazgranados, doña Consuelo. Con él se iba a ver su hija el día que le hice la depilación.

¿Con quién hablo?, dice Consuelo Paredes, todavía en *shock*.

Es Karen, de La Casa de la Belleza.

¿Cómo así?, dice, casi grita Consuelo Paredes. ¿Por qué no hablaste antes? ¿Qué más sabes? ¡Habla!

No lo sé. Creo que esto va a salir mal. Le pido por favor no decir que fui yo quien habló. Si más

adelante me pasa algo, busque a Claire Dalvard, su
número lo consigue en la Sociedad Nacional de Psicoanálisis.

LAD, dice Consuelo como para sí.

¿Cómo dice?, agrega Karen.

Olvídalo, gracias por llamar.

Al colgar, Karen vuelve a preguntarse si debe
llamar a Wilmer. Vacila. Le marca y el teléfono
repica. Al otro lado nadie contesta.

29.

Jorge Guzmán consiguió un abogado que supo interponer las demandas del caso y, en pocos días, garantizar que un agente estuviera trabajando en la investigación. Tenían una lista de entrevistas por realizar: a dos amigas de Sabrina, al médico que escribió el certificado de defunción, y a Karen Valdés, por haber sido la última en verla. Por las comisarías de la ciudad circulaba un retrato hablado del taxista que dejó a Sabrina en la entrada de la sala de Urgencias. De otro lado, con una orden judicial habían comenzado a indagar en hoteles del norte de la ciudad enseñando una foto de Sabrina y preguntando si la habían visto. También buscaban su nombre en los libros de registro, pero sospechaban que había ingresado con un nombre falso y que ese no sería el mejor camino. Respecto a la necropsia, no era posible encontrar coincidencias de ADN, o semen, por haber pasado casi tres semanas desde los hechos al momento del examen. Habían conseguido una muestra de la escritura de Luis Armando Diazgranados y según los cálculos de Kollak, la prueba grafológica se tardaría un par de semanas en estar lista. Si coincidían, podían vincularlo al caso y acto seguido pedir un monitoreo de sus llamadas en los seis últimos meses y hacerle seguimiento. La prueba de ADN, que habría sido la evidencia más contundente, solo habría servido si la necropsia se hubiese realizado diez días antes. Aun así, el proceso estaba en curso. Por primera vez en casi cuatro meses, Consuelo Paredes y Jorge Guzmán no se sentían completamente derrotados.

30.

Era 31 de octubre, el día de su cumpleaños. Como algo especial, Lucía se había comprado un pan de chocolate y se lo comía con un *bowl* de fresas. Ojeaba el diario cuando una foto de Eduardo la tomó por sorpresa. Ya no se trataba del artículo que había leído un par de meses atrás, donde se hablaba de Cruz Salud como una de las entidades prestadoras del servicio señaladas de corrupción, ahora se acusaba directamente a Eduardo Ramelli como representante legal, de estar robando recursos del Estado. Leyó el artículo y, sin haberlo terminado, empezó a sonar su teléfono y ya no paró. Pero no eran personas que llamaran a felicitarla, eran personas molestas por el escrito que llamaban a expresar su solidaridad con Ramelli. Escuchó frases como «deberían cerrar ese pasquín por mentiroso» o «sabemos que Eduardo jamás haría una cosa así», usando un plural que a Lucía le resultaba confuso por no saber a quiénes incluía. La misma madre de Lucía llamó y pasó por las felicitaciones con rapidez para decirle que la acompañaba en tan duros momentos, frase de cajón que Lucía interpretó como un gesto de solidaridad hacia su exmarido más que hacia ella. Con tono confidente concluyó: «Deberían meter a la cárcel a esos periodistas por infamia». Lucía prefirió callar. Iba a apagar su celular cuando entró mi llamada.

¿Cómo estás?, pregunté.

Lucía se echó a llorar.

¿Quieres que vaya a tu casa?

Date prisa, dijo.

Miraba a su alrededor con extrañeza. Las cosas, esas que siempre la habían acompañado por la vida, ahora le resultaban ajenas. Ella misma, su propia vida. Estaba enojada. No entendía por qué había tomado las decisiones que había tomado. Ya era demasiado tarde para reinventarse, pensaba. Ya era cincuenta y siete años demasiado tarde para volver a empezar.

Le llevé una caja de chocolates y una manta de lana. Lucía preparó té. Llegué bastante rápido para los estándares del tráfico capitalino y la encontré en sudadera, con la cara enrojecida y congestionada.

¿Cómo estás?, volví a preguntar, ahora mirándola a los ojos.

Lucía sacó un chocolate de la caja y se lo quedó mirando antes de llevárselo a la boca.

¿Crees que sea cierto?, pregunté.

Sí, dijo Lucía mirando hacia otra parte y añadió, la vida de uno es un invento, ¿no crees? Una cosa que uno se inventa de principio a fin. Incluso esos supuestos momentos felices que le dan sentido son un invento.

Al terminar de decir esto, se devoró un chocolate de un mordisco.

¿Otro?, pregunté.

Qué va. Sírveme un whisky, pidió Lucía.

Me pareció innecesario mencionar que era martes y no eran más que las diez de la mañana. Abrí las gavetas hasta dar con el licor, busqué un vaso, lo serví hasta el borde y se lo pasé.

¿Tú no tomas?, me preguntó.

Tengo paciente a la una.

Pero después de decirlo me puse otra vez de pie y me serví uno, aunque un poco más bajo.

Antes me interesaba el mundo… En una época me surgió una curiosidad inusitada por las cosas pequeñísimas, ¿sabes? La vida de las garrapatas, las pulgas…

Lucía tomó un largo sorbo de whisky.

Creo que papá siempre me vio como una mujer inteligente, pero en su cabeza mi papel principal era casarme con alguien importante, un ministro. Yo le parecía tan suave y discreta. Le decía a mi mamita: «Lucía es tan suave y discreta. Se va a casar muy bien». Eso me sorprendía de un hombre como papá.

¿Cómo es el cuento con las pulgas?

Me interesaban. A lo mejor habría podido ser una bióloga, una experta en el órgano reproductivo de las cucarachas, por ejemplo.

A lo mejor.

Ya Eduardo no está conmigo, es cierto, pero yo tampoco estoy. ¿Me entiendes? Ya no queda nada en el lugar donde estaba yo, Claire. Queda este cuerpo viejo y feo, estos deseos rotos de una vida simple, con algunos brotes de felicidad. Siempre he querido aprobación, Clairecita. Ese ha sido mi karma. Si solo pudiera volver a vivir mi vida, dijo Lucía y bebió un sorbo de whisky.

¿Estás enojada?

No sé, dijo Lucía tomando la manta que había sobre el sofá y doblándola meticulosamente. Estoy triste. ¿Por qué se empeña uno en vivir una vida que no es la de uno?

Cierto, y eso que no tienes hija, dije.

Me arrojó un cojín.

Ni siquiera eso, agregó con media sonrisa. Menos mal mi papá no vivió para verlo. Tremenda decepción se habría llevado.

Lucía calló. Puso la mirada lejos, como si estuviera viendo un programa de televisión en la pared. Por mi parte, encontraba una cierta pureza, una suerte de integridad en los sentimientos de una mujer hacia otra, especialmente cuando eran mujeres de cierta edad. Pensaba también en cuántas mujeres sentían que habían estropeado sus vidas por querer complacer a un tercero, por hacer las cosas para ser vistas haciéndolas, más que por el gusto o intención de hacerlas. Y quizá muchos hombres también, pero de eso no tenía evidencia.

Aunque no creía que ese fuese mi caso, creía, sí, que había salido casi huyendo de una sociedad que me resultaba estrecha, para llegar a un país donde siempre fui extranjera. Era un pájaro sin árbol y, sin embargo, estaba a gusto. Aun así, no era del todo feliz. Era tan difícil aprender a darse en la justa medida. Darse al otro sin perderse a sí mismo. Entonces no pude evitar sonreír con ironía, pues esos eran los temas de los libros que escribía Ramelli.

Son muchas las mujeres que ni siquiera llegan a darse cuenta de lo que me estás diciendo, dije.

Bueno, qué no daría yo por ser una de ellas, dijo Lucía.

Encendí un cigarrillo, Lucía me robó una bocanada.

No recordaba que fumaras, dije.

No lo hacía hace más de veinte años, de hecho no me gusta nada el cigarrillo, agregó aspirando otra bocanada. Está en el calendario, lo ves, dijo girando la página al mes de julio; este círculo rojo significa que desde ese día nadie puede fumar aquí.

Y estamos fumando, dije.

Claro, es que nosotras sí podemos.

Suena justo, respondí.

Desde hace tiempo me preguntaba cómo podía venir tanto dinero por la venta de los libros… no me daba, pero quizá miré hacia otro lado, no quise ver.

No te puedes culpar por eso.

¿A quién culpamos entonces?

A nadie.

En este país nunca nadie es culpable de nada.

¿Y a qué vas con eso?

Que alguien tiene que asumir la responsabilidad, Clairecita. Alguien tiene que ser culpable.

¿Entonces vas a serlo tú? ¿Te ofreces de voluntaria como culpable?

¿Sabías que hay más de dos mil doscientas especies de pulgas?, dijo Lucía apurando los restos de whisky en su vaso.

¿Quién puede ser capaz de robarse el dinero de la salud?, dije.

¡Mi exmarido!, respondió Lucía sirviéndose un segundo vaso. ¡El pisco con quien dormí por más de tres décadas!

Sí, él, no tú.

El gurú de la espiritualidad y los valores de la vida cotidiana. ¡El tipo que predica sobre el buen vivir y la transparencia en unos libros que escribo yo!

¿Qué dijiste, Lucía?

¿Qué parte?, dijo ya con los ojos enrojecidos.

¿Que los libros los escribes tú? ¿Me estás diciendo que los libros de Eduardo son de tu autoría?

Lucía calla.

¿De verdad escribiste un libro que se llama *Me amo*?

Suelto una carcajada. La risa me humedece los ojos y me sacude todo el cuerpo. Mi reacción es tan feroz como inesperada. Me dejo caer sobre el sofá. Lucía me mira, primero sorprendida y poco a poco se va contagiando de la risa hasta acabar las dos fundidas en una carcajada. Vamos volviendo a la calma. No es el momento para ahogar a Lucía en preguntas incómodas sobre cómo había acabado convertida en la escritora fantasma de su exmarido, ya bastante había sido soltar la confesión.

Ahora que te has puesto de pie, ¿no piensas que a lo mejor debajo de tu zapato hay una bella pareja de pulgas copulando?

Su idea me saca una sonrisa.

Te dedicaste a los seres humanos, cuando lo que te interesaba eran las garrapatas, ¿cómo pudiste irte tan lejos?

Me dejé llevar.

A mediodía ambas estábamos borrachas. Lucía preparó un café doble.

¿Y no has pensado ensayarte en la narrativa?, pregunté, ya con una taza de café entre las manos.

No lo había pensado.

Tienes una pluma entrenada y sin duda no te falta imaginación. Esta historia de las pulgas que copulan, dije, a mí me gusta, sería un buen cómic o un álbum ilustrado.

Es un interés serio, Clairecita, dijo. Para mí que la vena novelística la tienes tú, a lo mejor sin saberlo ahora mismo ya estás trabajando en algo.

Estoy un poco vieja para eso, dije.

¿No insistes en que estamos de maravilla?

Bueno, para unas cosas, para otras… Adivina quién viene a la consulta en una hora.

¿Quién?

El socio de tu exmarido.

¿Diazgranados?

El mismo.

No es normal.

Yo sé.

Más cree un musulmán en el Niño Dios que ese tipo en el psicoanálisis.

No veo por qué un musulmán no tiene derecho a creer en el Niño Dios, dije.

Si han hecho lo que dicen que han hecho, son peligrosos.

Hablas en plural.

Lo sé. Dudo que Eduardo sea inocente.

¿Crees que son capaces de matar a alguien?, pregunté sintiéndome súbitamente despejada.

No lo sé. Esto no es broma, dijo Lucía, han hecho recobros de dinero a través de tutelas, a nombre de pacientes muertos, por medicamentos e insumos que no fueron entregados… Aquí está salpicado hasta el gato. Esto es una porquería. *La Recontra* hablaba de tres billones robados. Vete a tu cita, agregó Lucía, gracias por venir. Y no me llames al celular si quieres contarme algo de esto. No es broma.

Entonces pongámonos una cita la próxima semana. ¿Quieres venir a mi casa? Así te cuento qué quería Diazgranados y pensamos qué vas a hacer tú.

Esto va a ser una pesadilla. Nadie me creerá que no sabía nada, dice Lucía.

Quizá te llamen a contarles cosas, pero luego todo se silenciará, ya verás. ¿Puedo preguntarte algo?

Lo que quieras, dijo.

¿Cómo fue que te enamoraste de Eduardo? No lo entiendo.

Ni yo. Me causaba ternura. Me parecía indefenso, me gustaba sentir que podía ser su consuelo… no tengo ni idea.

Nos dimos un abrazo largo en la puerta.

¿Recuerdas a Karen, de quien te he hablado? Una cliente suya murió en condiciones extrañas luego de una cita con Luis Armando Diazgranados, hijo de Aníbal. La citaron a testificar, dije.

¿Y tú qué crees? ¿Que el muchacho está involucrado en esa muerte?

No lo sé, la verdad, dije. Pero quizá son más peligrosos de lo que imaginábamos.

Lo sé. Dudo que Eduardo entienda hasta dónde está metido con criminales, dijo Lucía.

¿Crees que es inocente?

Inocente, no. Será un ladrón de cuello blanco, pero no es un asesino, añadió.

Entonces será mejor que se lo adviertas, dije. Quizá es más ingenuo de lo que te piensas. Tal vez no ve el peligro en el que está metido.

¿Por qué? ¿Crees que puedan hacerle algo?

No lo sé, dije.

Son socios, pero Eduardo lleva toda la culpa en esto, dijo Lucía.

Exactamente. Diazgranados puede temer que Ramelli lo eche al agua. ¿No crees?

No me dejes sola en esto. Nos dimos otro abrazo y me fui.

31.

Karen no acostumbra a mirar hacia atrás, tan absorta en el día a día, que no consigue recordar. Sin embargo, de vez en cuando la asalta algo de ella misma, aunque sea por un instante. Así fue cuando en la casa de un cliente en el barrio Santa Ana, estuvo acariciando las cortinas largo tiempo y pensando el vestido que podría haberse hecho con esa tela. De vez en cuando una idea, una imagen, un olor, le recordaba quién era. ¿Pero y quién era? Al mirarse en el espejo, ya lista para salir, el pelo liso, las botas altas, el bolso y la gabardina, sabía que esta Karen de ahora era una mujer que podía entrar a un edificio sin ser requisada de arriba abajo, que la saludarían llamándola «doctora», «señorita», o «señora», con cierta respetabilidad en el tono de la voz, algo que venía con el atuendo, con su cabellera sedosa y la forma de modular las palabras. Karen quería ser esta que ahora se miraba en el espejo a la salida del apartamento con piso de mármol y grifería dorada, no aquella que acariciaba las cortinas para imaginarse un vestido hecho en esa tela, ni la que recordaba con nostalgia el calor pegachento de un mediodía cartagenero, el antro donde se bailaba salsa mientras las paredes sudaban y ella se abandonaba en el cuerpo de un hombre solo para dejarse fundir en la música, sin tener que cruzar una palabra y con la libertad de irse a sentar a su mesa tan pronto acabara la canción. A pesar del hambre, del miedo, de la falta de sueño, de una vigilia atónita que la mantenía pasmada y alerta, Karen quería ser esta persona malherida; rota, pero respetable.

Tal vez por eso, por el esfuerzo invertido en ser esa mujer de apariencia rica y educada, por su vehemente deseo en ser realmente esa que su imagen proyectaba, Karen abrazaba la satisfacción de pasearse por el centro comercial Andino un domingo en la mañana, entre madres en carreras comprando a última hora el regalo de cumpleaños de la amiga de su hija, niños gordos subiéndose incesantemente a los juegos mecánicos, ancianos entrando a la jornada de cine con descuento para la tercera edad, vitrinas costosas y hombres de negocios buscando un regalo de aniversario o cumpleaños. La apariencia de riqueza era suficiente para que Karen se sintiera acogida por parte de quienes antes parecían rechazarla.

Tal vez por eso el llamado de doña Josefina de Brigard la tomó por sorpresa. Le preguntó la referencia del labial que había comenzado a usar en las últimas semanas. Ingenuamente, Karen respondió entusiasta. Luego le preguntó dónde había adquirido el gabán, las botas y el bolso. Al final le dijo:

El mono, aunque se vista de seda, mono se queda.

Ante la mirada atónita de una Karen ofendida, continuó:

Nada combina, chinita. Pareces un remedo de algunas de las mujeres que pasan por tu cabina.

Karen calló.

¿Puedo retirarme señora?

Puedes, dijo Josefina de Brigard clavando sus ojos en unos papeles, ya sin volver a mirarla.

Karen se encerró en el baño pero esta vez, en lugar de llorar o cortarse o llamar a Wilder o a mí, se quedó mirándose largamente en el espejo intentando comprender dónde se había equivocado a la hora de vestirse.

32.

Llegué diez minutos tarde a la cita. Aníbal Diaz-granados abrió y me hizo seguir.

Querida Claire, bienvenida.

Me invitó a pasar a la salita donde hacía las sesiones y tomó mi puesto, de modo que no tuve más remedio que ocupar el lugar del paciente. Me preguntaba dónde estaría Luz, la empleada del servicio, pero no me atreví a preguntárselo a él.

Luz salió a la farmacia a buscarme las pastillas para la tensión, dijo como si hubiera escuchado mis pensamientos.

¿Y ella accedió a dejarlo aquí solo?

Digamos que puedo ser persuasivo.

¿Con amenazas?, pregunté.

Con empatía, dijo guiñando un ojo.

¿Y cómo se consigue esa empatía?

Mejor dígame usted, doctora Claire: ¿es de las que maltrata a las empleadas domésticas? Porque mi mujer lo hace, y es una muy buena mujer, no me malinterprete. Es que no he conocido hasta ahora una buena mujer que no lo haga.

¿Qué me quiere decir con eso?

¿Y así es como se gana usted trescientos mil pesos en una hora? ¿Haciendo contra preguntas?

¿Y es que es muy difícil para usted, congresista, ganarse su sueldo?

Digamos que es más difícil que echarse en un sillón a preguntar huevonadas.

¿Así es como ve mi profesión?

Trasluce agresividad su forma de interpelarme, doctora, dice Diazgranados.

Le brillan los ojitos de topo, muy pequeños en esa cara grande y flácida enmarcada en una voluminosa papada.

¿Puedo ofrecerle un vaso de agua?

Gracias, dice Aníbal.

Salgo a buscarlo. Me pregunto cómo hizo para que Luz abandonara la casa. Regreso con el vaso y lo encuentro aflojándose el nudo de la corbata como si le faltase el aire. Tengo el impulso de echarlo de mi casa, pero me contengo. Luego quiero tirarle el agua en la cara, no lo hago. Soy una cobarde. Le entrego el vaso de agua que bebe a grandes sorbos mientras pienso cómo podría deshacerme de él aquí mismo, en mi consultorio. Quizá con el candelabro de hierro forjado, me digo, o con el cortapapeles, herencia de mi abuela. El hombre manatí hace ruido al beber. Sus manos son gruesas, peludas, de dedos pequeños. Ahora me pregunto cómo hizo para entrar, no solo en el apartamento si no en el edificio. Luz tenía estrictas instrucciones, como las tiene toda empleada del servicio, así como el vigilante. El vigilante no podía dejar pasar a nadie que no fuese autorizado por el propietario o residente de la vivienda.

¿Por qué pidió la cita?

La vi saludar a mi mujer en la boda de la hija del ministro.

No entiendo.

Usted saludó a Rosario, mi mujer.

Vamos al mismo salón de belleza. ¿Es un crimen?

¿Por qué, alguien habla de crímenes ahí adentro?

De repente me siento sofocada entre la borrachera leve que no me deja pensar, el miedo y la excesiva loción en el aire. ¿A qué olerá cuando no se echa medio frasco de pachulí cada mañana?, las náuseas se me van arremolinando en el estómago.

Imagínese que mi abuelo fue un conservador de los comprometidos. Me contaba cómo en la época de la Violencia tuvo que volear machete y entrenar a los pescadores a cortar cabezas como deshojando margaritas. ¿Sabía usted que una cabeza puede seguir chillando después de cortada?

No sabía pero me parece científicamente improbable.

¿Y no le parece chistoso?, dice Diazgranados
emitiendo una suerte de graznido.

La verdad, no.

Vea, doctora, me crié en una familia recia, siempre hemos hecho política, hemos defendido lo
nuestro con los dientes, como los lobos.

Sigo sin entender a qué viene todo esto.

Simple: uno da lo que uno recibe. Cosecha lo
que siembra. ¿Entendido?, dice Aníbal.

¿Me está amenazando?

Tiene una fijación con esa palabrita, doctora,
habría que hacer analizar esa cuestión.

Se nos acabó el tiempo, digo mirando el reloj
mientras Aníbal saca un fajo de billetes.

Puedo comprarlo. Una semana, un mes, un año.
Su vida entera.

Así no funciona, digo.

Tengo la impresión de que usted, como esa clase
intelectual y académica, se apega a las normas y a
los papelitos, pero ignora la realidad. Doctora: permítame decírselo claro, es usted la que no quiere
ver cómo funcionan las cosas.

¿Y cuál es esa realidad que ignoro, según usted?

La realidad es que una cabeza chilla después de
cortada.

De nuevo una amenaza.

Llámelo como quiera. Solo le estoy diciendo que hay cosas que es mejor no comprobar. Tómelo como el consejo de un amigo.

Se lo agradezco, dije. Ahora váyase.

¿Es cierto que lo que se habla aquí no sale de aquí? De otra manera, tendría que dudar de su profesionalismo.

No consigo responder a sus palabras. La garganta se me ha cerrado por completo. Tiemblo. Con esfuerzo me levanto de la silla y le abro la puerta.

Por favor, digo.

Antes de salir, remata: «Usted tiene una amiguita, Karen Valdés, la muchacha es poquita cosa, pero usted tiene esta actitud de colonizadora que viene a ayudar a los pobres. Un consejo, doctora: deje a la muchacha asumir su propia suerte. Ya tenemos su caso resuelto, no hay más que hacer, quien interfiera saldrá quemado».

¿Qué hizo Karen?

Karen no es lo que usted piensa doctora, Karen Valdés es una prostituta y una criminal.

Eso es mentira, dije. ¿Qué le van a hacer?, insistí con la voz quebrada.

Señora Dalvard, serénese, agradezca que usted y su hija gozan de libertad y buena salud. Y ahora, usted entenderá que, para un congresista de la República, ausentarse de la plenaria tiene consecuencias nefastas para la patria. Estamos debatiendo proyectos de enorme envergadura, como la reforma a la salud, por ejemplo, y ni más ni menos que el Marco Jurídico para la Paz. Por eso le pido, señora, no me haga volver hasta acá. Por el bien suyo, mío y de la patria. Una última cosa antes de despedirme: ¿sabe qué medicina puedo tomar para adelgazar?

No, dije.

Claro. Tal como lo sospechaba. Su formación «médica» solo sirve para lidiar con enfermedades imaginarias.

Se levanta parsimoniosamente de la silla y al abrir la puerta veo a Luz en el umbral de la cocina sosteniendo un paquetito tímidamente.

Gracias, hermana, le dice Aníbal haciendo una venia.

A usted, hermano. Fue un placer servirle, añade Luz.

¿Y cómo entró?, le pregunto a Luz tan pronto se cierra la puerta.

Es el pastor. Es congresista y pastor.

¿El tipo dijo eso y lo dejó pasar?

Sí, señora.

¿Por qué?

Es hermano de mi congregación.

Las arcadas me hicieron salir corriendo al baño, donde fueron a dar los whiskies que me había tomado con Lucía. Eran apenas las dos de la tarde, faltaban cuatro pacientes antes de terminar el día. Luego de hacer gárgaras, me aplano la falda frente al

espejo, me acomodo un mechón de pelo detrás de
la oreja y regreso al consultorio, esta vez para sentarme en el sillón de cuero.

La tarde se pasa lenta. Escucho a mis pacientes como a través de un vidrio, como si estuviera
dentro de una pecera y sus voces sonaran dis-
torsionadas y lejanas. Cuando por fin termino la
última sesión, me tumbo en la cama a ver el noticiero. Entre las imágenes de la ola invernal, gente
hundida en el barro, sin techo ni alimentos, me
descubro pensando en mi relación con Luz, cons-
truida a partir de una serie de rituales aprendidos
desde la infancia. Ella aprendió la cabeza gacha, el
«sí, señora», «no, señora», «¿a qué hora va a tomar
hoy el almuerzo, doña Lucía?» y yo aprendí a dar
las instrucciones, la frente alta, la voz tensa como
una cuerda lisa: «Le quedó muy bueno el pollo»,
«ya se puede ir a su casa», «no olvide aspirar el consultorio». Y Luz, la frente gacha, enseñada a asen-
tir, sigue instrucciones, asiente, sonríe, sonríe y
asiente. Siento cierta vergüenza al descubrir que
Aníbal pudo conectar con ella a un nivel humano
en cuestión de segundos, incluso más de lo que lo
he hecho yo, aunque la haya visto casi a diario en
el último año y medio. Qué sé yo de Luz, que es de
Cómbita, que tiene un hijo y dos nietos. Nada más.
No sé siquiera si le gusta el café con azúcar.

33.

Karen había sido violentada, su terapia había sido quebrarse a voluntad. Con el tiempo, a fuerza de romperse, se iba haciendo más resistente. La obediencia era en ella una forma de autodestrucción.

Había una grieta en la pared. Pensó en decírselo a Eduardo, pero se contuvo. Él le acarició la cara con ternura y ojos vidriosos. Karen lo vio más viejo que nunca.

Me gustas mucho, le dijo acariciándole el hombro.

Era 29 de octubre, dos días antes del cumpleaños de Lucía, del día de las brujas y la aparición de Eduardo en los tabloides como responsable de haber desviado cerca de un billón de pesos de los más de tres robados a la salud en el país.

Hay algo que debo pedirte, dijo él.

Dime, dijo Karen impaciente por irse a dar un duchazo.

¿Me ayudarías a guardar un dinero? Será un par de semanas, como mucho.

Karen calla.

Si te da más tranquilidad, te cuento la historia. Para que sepas cuánto confío en ti y sepas que no te haría daño.

¿Qué historia?

Eduardo habló de la madrugada del 23 de julio, cuando tumbado en el sofá de su exmujer, con demasiados whiskies en la cabeza, recibió al amanecer una llamada de alguien cercano que quería encubrir la muerte de una muchacha.

Le contó del encuentro en el Carulla 24 horas, la madrugada en la que decidieron armar un montaje para ocultar esa muerte. Le habló del médico involucrado, así como del taxista, con quienes había hablado personalmente. Karen lo miraba como si lo viera por primera vez. Le parecía imposible que el mismo hombre que había encubierto un crimen fuese el autor de los libros que ella leía. Se sentía desencantada y al mismo tiempo atrapada en su propia historia.

Karen supuso que ese socio peligroso era Aníbal Diazgranados, padre de Luis Armando. Al final, como si hablara de otra persona, Eduardo agregó: Si algún día pasa algo, Aníbal Diazgranados, el congresista, es mi socio. Acude a él. Él sabe que tú tienes el dinero.

Todavía no he dicho que sí voy a guardarlo, pensó Karen, pero no llegó a decirlo. En cambio de eso le preguntó:

¿Tendrá algo que ver con Luis Armando Diazgranados?

Es el hijo, dijo Eduardo. ¿Fue cliente tuyo?

No, dijo Karen. Y aunque la ofendió la pregunta, no dijo nada.

Bueno, no me extraña, tiene fama de maricón, replicó Eduardo envolviéndose en una bata de seda.

Se preguntó también si había alguna posibilidad de que dicho Luis Armando Diazgranados fuese uno diferente de quien iba a ver a Sabrina el día que ella la atendiera por última vez. En la ducha, Karen pensó qué pasaría si no aceptaba guardarle el dinero a Eduardo. Cuando salió, escuchó voces en la sala. Se vistió rápidamente mientras tomaba la decisión de contármelo todo. De pie, junto a una maleta grande, dos hombres la observaban. Fue en ese momento cuando entendió por primera vez que podía estar en peligro.

Karen, cariño, ellos te van a acompañar a guardar el dinero en tu apartamento.

Era una maleta grande, con capacidad para unos setenta kilos. Uno de los dos hombres la miraba de arriba abajo con descaro. Iba armado.

Tu misión es simple, pones esto en un lugar seguro y esperas a que uno de estos caballeros, si no yo mismo, vayamos a buscarla.

Karen dice que miró a Eduardo con expresión suplicante, sin resultado. Él le picó el ojo, sonrió y le dijo:

Ve con ellos, Piccolina, vas a estar bien.

34.

Faltaban un par de días para tener el resultado de la prueba grafológica donde se determinaría si la nota hallada en la habitación de Sabrina había sido escrita por Luis Armando Diazgranados. Por lo demás, necesitaban una orden de la Fiscalía para acceder a la historia clínica de la San Blas; una vez con la prueba, podrían interponer una orden para interrogar a Luis Armando Diazgranados y rastrear las llamadas de su celular.

Jorge Guzmán no ha parado de dar vueltas por la sala del apartamento de su exmujer, donde están reunidos. Tiene los ojos inyectados en sangre. Consuelo Paredes se frota las manos y habla para sí. Tiene el ceño fruncido y no parece estar siguiendo la conversación.

Abogado, dígame que lo va a conseguir.

¿Qué cosa, doctor Guzmán?

Atrapar al asesino.

Haré lo que esté en mis manos.

Consuelo se acerca y le sirve un agua aromática a su exesposo.

Ay, mijo, le dice. Lo mejor habría sido no tener el nombre de ese tipo, estaríamos más tranquilos.

Hay más, interrumpe Kollak. Creo que tengo a nuestro taxista. Estuve hablando con unos amigos en inteligencia y pude reducir a tres los candidatos: todos operan en la zona y a veces hacen otro tipo de trabajitos.

¿Taxistas sicarios?

Ellos se hacen llamar contratistas.

¿Y ya localizó a los tres?, pregunta Guzmán.

Hay uno que me suena porque ha estado metido con peces gordos. Los jueves juega ping pong en un bar de Chapinero.

O sea mañana, dice Guzmán.

Correcto. Mañana le haré una visitica al hombre, les tendré noticias tan pronto hable con él.

¿Y el médico?, pregunta Consuelo.

El médico no quiere hablar.

¿Y si lo hacemos hablar?, pregunta Guzmán.

Consuelo lo mira sorprendida.

A ese tipo de trabajo no le jalo, pero si quiere le consigo a alguien, dice Kollak.

Jorge Guzmán calla, pero hay tanta rabia en su rostro que un ruido sordo se expande por la habitación como una migraña.

35.

Llamé a Lucía y le conté una a una las palabras de Aníbal Diazgranados. Tenía miedo.

No puede ser en serio, Claire, me dijo.

¿Y si le hace daño a Eduardo? Tu ex es un malo tonto, dije.

Ahora mismo lo llamo, dijo Lucía.

Una hora más tarde volví a llamarla. ¿Hablaste con Eduardo?

No contesta, debe estar jugando golf.

¿Me vas a avisar?

Tan pronto hable con él.

No pudo hablarle esa tarde, ni la siguiente, ni la del día después, ni devolverle la llamada, ni contestarle al teléfono las muchas veces que Lucía intentó llamarlo. Quizá, si alguna de nosotras hubiera creído que Eduardo corría algún peligro, habríamos actuado de otra manera, habríamos ido a buscarlo, pero qué va. Nunca lo imaginamos. Lucía

llegó a dejarle mensajes en el contestador del celular. Primero diciéndole: «Llámame cuando puedas,
por favor» y luego: «Eduardo, es sobre Diazgranados, contéstame, te lo suplico». Pero no contestó.
Y cuando lo hizo fue el mismo 31 de octubre, mientras conducía hacia su cita con el doctor Venegas.

Eduardo, ¿sabes que Aníbal fue donde Claire y
la amenazó?, le dijo al fin.

¿De qué me estás hablando?

La amenazó con matarla.

¿Pero qué me estás diciendo?, dijo, y soltó
una carcajada. Sabes qué, mujer, es Halloween,
entiendo que en días así nos calan más los cuen-
tos de miedo, pero relájate, tomate un chai, abrí-
gate los pies…

¿Podemos hablar en serio por una vez en la
vida?

Te prometo que te hablo en serio, y muy en
serio… si me das quince minutos, estoy par-
queando, no me tardo, ahora te marco.

Eduardo, ¿cuídate, sí?

¿Será esa telenovela que te estás viendo en la
noche?

No veo novelas, veo series.

Bueno, alguna de esas porquerías te está
dañando la cabeza, flaca, apaga la televisión.

Te oigo contento, dijo Lucía.

A ratos viene una chiquita y me calienta la cama.

No me digas, qué sorpresa.

Eres una pesada. Ya te marco. Y *by the way*, feliz cumpleaños flaca.

Pensé que no te acordabas.

¡Pero si hoy es un día especial para la humanidad entera!, dijo Eduardo.

¿Lo dices por el artículo de *La Recontra* sobre tu desfalco al tesoro nacional?

Cállate, mujer, ¡si por eso no estoy contestando al teléfono!, dijo antes de colgar.

Dos horas antes estaba tumbado en el sofá con la camisa abierta y los pantalones abajo. A pesar del escándalo, se le veía alegre. Tener esa maleta a salvo lo tranquilizaba. En el peor de los casos le darían casa por cárcel un par de años y estarían a salvo, él y su dinero. Habría valido la pena.

Tenía el pecho cubierto de vello blanco. Estaba en buena forma y Karen lo notaba relajado. Con los ojos cerrados, la dejaba hacer. Pronto todo volvería a la normalidad. Le acarició la cabeza a Karen, quien ahora intentaba sonreír.

¿Qué harías con todo ese dinero, si fuera tuyo?, le preguntó sin dejar de acariciarla. Ella alzó los hombros.

Acabaría metida en un problema, dijo con media sonrisa.

¿Pero qué te gustaría hacer?

Me iría muy lejos.

Podrías irte muy lejos y hacer otras cosas, es muchísimo dinero.

Siempre quise hacerlo en una piscina, ¿sabes?, dice Karen de repente poniéndose de pie, evasiva. ¿Alguna vez lo hiciste?

No es gran cosa, responde Ramelli. Pero si quieres, podemos hacerlo ahora en una piscina, para que no te quedes con la duda. Karen sonríe. ¿O prefieres ir a una de tantas fiestas de Halloween?

Odio disfrazarme, dice Karen. Ven. Vamos, añade tomándolo de la mano.

La conmueve pensar que a sus casi setenta años, Eduardo la tome de la mano para llevarla a la piscina a cumplirle una fantasía adolescente. Hasta entonces, solo había estado en piscinas atiborradas de gente.

Salen del ascensor, se quitan la bata, se meten al agua climatizada. A través del cristal pueden ver cómo se derraman las luces de la ciudad hacia el occidente.

¿Tú y yo qué somos?, le dice Eduardo después de un beso largo.

Yo soy la que te guarda la maleta, le dice Karen y mete un grito cuando entra una mujer de edad mediana, los mira de reojo sin saludar, deja su bata en una de las sillas de la piscina y entra al agua.

Hoy no es nuestro día de suerte, dice Karen ajustándose el sostén.

¿Me creerías si te digo que en más de un año que llevo viviendo aquí nunca me había tocado compartir la piscina con nadie?

Antes de salir, Eduardo la toma de la cintura:

Me gustas mucho, le dice mirándola a los ojos.

Karen estalla en una carcajada.

Qué insensible eres, dice Eduardo.

Perdón, añade Karen sin dejar de reírse.

Eduardo la tira del brazo y la acerca hasta su pecho:

Te voy a follar hasta hacerte explotar la cabeza.

Karen calla. Sale de la piscina en silencio. Se seca con la toalla mientras ve a la mujer de piernas blancas y redondas nadando de espaldas.

Es tarde, dice, súbitamente ansiosa.

Son casi las ocho.

Por eso, es tarde.

Sube un rato.

Ha sido un día largo, quisiera llegar a casa, dice.

Claro, vas a contar los billetes en la maleta si es que no los contaste ayer.

Ambos suben al ascensor. Con los pies descalzos se elevan desde una caja de cristal que mira a Bogotá. Karen se siente lejos, desconectada. La invade una sensación de mareo acompañada de sequedad en la boca y taquicardia. Siente un dolor en el pecho y empieza a hiperventilar. Llevaba días sin sentirse así. Eduardo mira fijamente sus tobillos cortados, luego sus muñecas, parece haberlo notado apenas ahora. Se abren las puertas del ascensor, a Karen le sudan las manos. Él la ayuda a entrar al apartamento, la recuesta en la cama, va por un vaso de agua a la cocina, Karen aún no respira con normalidad. Llama al doctor Venegas al celular y le pregunta qué hacer:

¿Necesito una prescripción para eso?, pregunta Eduardo.

Ya me siento mejor, dice Karen, aunque sigue con taquicardia.

No son ni las nueve de la noche cuando decide ir donde el doctor Venegas, quien va a entregarle algo para Karen. Lo hace en el carro.

Vuelvo enseguida, no te muevas de aquí.

Karen prende el televisor, donde la sorprende una foto vieja de Eduardo: «Todo apunta a que la persona detrás de este encubrimiento es el reconocido autor de autoayuda, también presidente de Cruz Salud, con operación en el Hospital de San Blas de Bogotá…».

Karen vuelve a llamarle, esta vez para contarle que lo está viendo en las noticias, pero no consigue respuesta. A la cuarta vez le contesta un oficial de la Policía, le pregunta cuál es su relación con el exánime.

¿Con el qué, oficial?, dice Karen incorporándose.

Con el muerto, señorita, disculpe darle la noticia de esta manera, el dueño del celular al que está llamando fue encontrado abaleado en la 76 con quinta junto a una víctima identificada como

Roberto Venegas, médico cirujano, empleado del Hospital San Blas.

Eran poco más de las diez. El oficial continuó hablando, Karen había dejado de escuchar.

36.

Era la segunda vez que iba a una misa fúnebre en cuatro meses. Le parecía que su vida se podía resumir en ese tiempo. Se vistió lo mejor que pudo, a pesar del desaliento. Puso sus escasas energías en hacerse una moña alta, pintarse la boca color tierra, elegir los zapatos apropiados, la blusa de escote moderado, la gabardina Massimo Dutti y el pequeño bolso negro de Carolina Herrera que le había regalado Eduardo, aún sin estrenar. Lo había visto por primera vez en el funeral de Sabrina Guzmán. Tal vez si hubiera estado atenta a las señales, habría comprendido que nada bueno puede esperarse de la relación con un hombre al que conoces en un funeral. Aunque había pasado poco tiempo, Karen intentó recordar ese día lluvioso en que fue a la misa de su clienta. Sintió que quien entraba hoy a la iglesia era una persona distinta.

La gente se agolpaba en La Inmaculada. Karen eligió la última fila, un puesto lateral. Hombres bien trajeados, escoltas, camionetas blindadas a la entrada de la iglesia, vidrios polarizados, pocos niños, algunos jóvenes, muchos seguidores. Estaban la radio y la televisión nacional. Querían hablar con Lucía, que parecía poco interesada en hacer declaraciones a la prensa. Era la despedida de «un gran guía espiritual colombiano de los desahuciados emocionales», como lo describió un periodista. Karen no escuchaba las palabras del cura. Tampoco oyó cuando un militar de uniforme repitió la palabra amor tres veces mientras alzaba el puño en el aire. La tos de un anciano retumbaba en las paredes de la iglesia. El coro estaba destemplado. Todo parecía equívoco, desafinado.

Quizá la disonancia generalizada se debía a la fealdad con que mataron a Ramelli. Siendo un hombre elegante, o que pretendía serlo, había sido atrapado en sudadera, a quemarropa, en una esquina del exclusivo barrio Rosales, donde estuvo arrojado, como un perro, a la vista de los curiosos hasta que un buen samaritano se dignó a llamar a la Policía. Todo hacía parte de un grotesco malentendido. Al terminar el militar, una mujer con la cara quemada con ácido subió sin ser vista, agarró el micrófono y dijo que Eduardo le había enseñado a sobrevivir, que gracias a él no se había metido un tiro en la cabeza. Algunas personas aplaudieron con timidez. La mujer de Diazgranados lloraba, desconsolada. Karen volvió a sentir que la garganta se le cerraba al ver que se trataba de su cliente Rosario Trujillo.

Me contaría más tarde que mientras todo esto ocurría ella sentía bochorno, el bochorno de un mediodía en Cartagena, metida entre un bus que voceaba sus paradas: «María Auxiliadora», «Blas de Lezo», «Castellana», y ella se dejaba llevar por los olores, a níspero, a mojarra, bajo un sol que borraba los confines de las cosas para hacer que todo se recubriera de un dorado borroso, melcochudo como el coco, o como el zumo de mandarina mientras un hombre vendía racimos por mil pesos a la joven de al lado, y otro vendía un diccionario escolar inglés-español, y una anciana le decía a su nieto que no iba a pagar dos mil por un diccionario, y el nieto miraba los lápices que vendía otro negro que también había saltado al bus, un bus viejo y grande, como una ballena fuera de su elemento, con más humo que tiempo y menos pasajeros que vendedores ambulantes; el de los resaltadores, el del almanaque Bristol, el del agua fresca, el del agua de coco, y los llaveros, los estuches para el celular, las calcomanías, las revistas, los escapularios, las galletas; cuando ya Karen se quiere bajar, un muchacho vuelve a vocear los destinos a gritos bajo un calor sofocante que impregna las uñas de mugre y no

hubiera vidrio verde, amarillo, rojo o transparente,
y ajá, decía su mamá, y ajá, decía Karen, pero tantos buses y todos a los mismos destinos, y ese tran-
cón de bochorno, y ese olor a tierra de mar, ese olor
a sudor de mar, a agua de mar, y esa letanía de la
champeta, champeta en la Boquilla, en una discoteca del barrio El Bosque, y ver estallar el barrio a
punta de picó, echarse la siesta en la mecedora, y la
mamá preparando bolitas de tamarindo en el portal de la casa, y que diga «niña, no me busques porque me vas a encontrar», porque ya nadie la llama
niña, ya nadie la busca y menos la encuentra, ya ni
ella se encuentra, ni menos sabe dónde está, cada
vez más perdida, cada vez más acá y allá al mismo
tiempo y sin embargo en ninguna parte a la misma
vez, y aquí nadie juega cartas a la sombra de un
mango, aquí no hay un totumo, aquí no está la iglesia pentecostal con el mango a la entrada, aquí no
está el parque, no está la Iglesia Nueva de Cristo
Redentor, no hay un puesto de bollo limpio, aquí
no queda nada, piensa Karen, aquí no está Emiliano, no está su mamá, aquí está la gente rabiosa
y la muerte merodeando bajo un cielo de plomo, y
siente ese bochorno y suda porque la boca le sabe a
tamarindo, pero no a tamarindo seco, a la bolita
dulce, la que hacía también su abuela cuando ella
era una niña y tenía una abuela, cuando ella era una
niña y quería ser reina de belleza, antes de la champeta y de la primera comunión, antes de pensar en

para espantar a los ladrones, y lo mismo tener un
perro, aunque «perro que no sea de tierra caliente,
si le das pescado se vuelve sarnoso», decía su mamá,
como si ella alguna vez hubiera tenido un perro de
tierra fría, como si ella hubiera estado en tierra fría,
como si supiera algo de perros; Karen piensa que
ella es un animal de tierra caliente, se vuelve a preguntar qué hace en la nevera, qué la llevó a Bogotá,
a aprender el hablado lento y zalamero, a sonreír, a
aprender una amabilidad impostada, a comer almojábana en lugar de carimañola, a olvidarse de quien
era, su Emiliano estaba ahora más lejos que nunca,
su Emi que decía que nadie sabía masajearle los pies
como su mamita, porque la llamaba «mamita» y
cuando estaba zalamero «mamitica», y ella que no
le había tocado los pies en casi un año, un cuarto de
la vida de Emiliano, decía su mamá, un cuarto de la
vida de tu hijo llevas tú sin estar aquí, muchacha;
Karen absorta mira las puertas del templo, un
grupo de personas había permanecido afuera con
carteles que decían: «Maestro de maestros, no
morirás jamás», y «Guárdame un lugar en el cielo»,
entre otras consignas para despedir a Ramelli.
Karen los mira como si no estuviera, recuerda que
Ramelli ha muerto, y otra vez la náusea y ese bus
se zarandea por la Pedro de Heredia, y su mamá que
dice «las morenas vendiendo fruta en la playa»,
como si ella no fuera «una morena» también, y cuál
era el miedo de decir negra; la gente iba saliendo y

la lluvia tomaba impulso y las camionetas parquea-
das a lo largo de la avenida arrancaban en tumulto
mientras Karen seguía sentada observando sin ser
vista, se sintió que sudaba, pegachenta, el olor del
tamarindo, pero ya estaba otra vez bajo la lluvia,
siempre la lluvia y el humo en esta ciudad gris, y el
polvo gris, la nube gris, los trajes grises de los ofi-
cinistas, el esmog gris, la puta *grisitud* de esta ciudad la iba a matar de la puta tristeza, pero y si
tuviera un padre, ¿se diría *grises* o *grisedad* o *grisitud*? Si tuviera un padre él sabría la respuesta, y así
no la supiera, qué carajos, si tuviera un padre no
sentiría que se estaba muriendo, o que ya se había
muerto y andaba por la calle como hacen los espan-
tos, por eso la pisaban, por eso le daban codazos y
puntapiés en Transmilenio, porque no la veían,
Eduardo la había visto, Eduardo la había acariciado
así que la había visto, y le había pagado y se la había
follado como hacen los vivos pero ahora estaba
muerto. Sacó la lengua y sintió el aire carrasposo.
El aire pesado y tóxico. La lluvia como agujas. Se
subió a una buseta y aferrada al tubo metálico, volvió a sentir el olor a sudor concentrado. Tal vez sí
estaba viva. Estaba viva porque le olía a mierda.
Estaba viva porque se la habían culeado más de
cuarenta y siete tipos en dieciséis semanas, estaba
viva porque la había violado un gordo asqueroso y
resentido, estaba viva, solo que no lo estaba por las
razones correctas.

37.

La llamada de Kollak dejó a Consuelo Paredes sin aliento. Al primero que llamó fue a Jorge, le dijo que viniera a su casa urgente.

Estoy en Abastos.

Bueno, pero venga por favor lo más rápido posible.

El tiempo que me tome llegar, respondió antes de colgar.

En ese lapso, con manos temblorosas, Consuelo abrió la agenda y llamó al abogado, que no le contestó. Después buscó el número de la Sociedad Nacional de Psicoanálisis, donde le dieron mi teléfono. Marcó enseguida y al no tener respuesta, dejó un mensaje en el contestador: «Llamo de parte de Karen Valdés, soy la mamá de Sabrina Guzmán. Devuélvame la llamada por favor», dijo Consuelo Paredes y dejó su número. Volvió a marcarle al abogado.

Voy a tener que dejar el caso.

¿Cómo? ¿Justo ahora cuando ya empieza a andar?

Sí, perdóneme.

¿Pero qué pasó?

Razones de fuerza mayor, señora Consuelo.

No me salga con eso, abogado, dijo Consuelo y se le cortó la voz.

Esta mañana llegó un pequeño ataúd a mi casa. Adentro estaba el nombre de mi hijo y por el otro lado el de su hija. Por favor, entiéndame, dijo antes de colgar.

Consuelo intentó volverle a marcar pero fue inútil.

Buscó el número del agente de criminalística con quien había hablado en dos ocasiones: «Señora Consuelo, la estaba pensando, quería contarle que alguien anda hackeando el Facebook de su hija. Pero hasta ahí no más alcancé a llegar, porque resulta que me acaban de informar que nombraron a otro fiscal para el caso. Eso quiere decir que él viene a armar otro equipo y lo más seguro es que yo sea reasignado».

¿Pero por qué?, a mí nadie me dijo nada…

Lo que le diga es mentira, mi señora. Bueno, me están llamando.

¿Para qué están haciendo eso oficial?

Es posible que estén intentando inculpar a alguien inocente del crimen, para desviar la atención del verdadero culpable. Discúlpeme, señora, pero tengo que colgar.

Consuelo se quedó con el teléfono en el oído, embotada.

38.

Entró a La Casa dejando un charco de agua a la entrada y bajo la mirada insolente de Annie se encerró en el baño de la primera planta. Cruzó los dedos por una tarde agitada aunque fuera martes, y así no tener que soportar la conversación de sus compañeras. Extrañaba a Susana. Lloró con el secador de manos apagando sus sollozos antes de salir a un corrillo de mujeres a las que encontró más envejecidas y opacas.

Actuaba como una autómata. El pánico la invadía en cualquier momento. Los deseos de hacerse daño la doblegaban. Una imagen continua de sí misma cortándose una pantorrilla con un bisturí hasta rebanarse un trozo del músculo la perseguía. Cuando no era eso, se imaginaba mutilándose un dedo, una oreja. Después, cuando miraba, tenía una herida en el tobillo, otra en el codo. No recordaba habérselas hecho a sí misma.

Karen subía la escalera cuando la inconfundible voz nasal de Karen Ardila la interrumpió:

¿Pocahontas, eres tú?, luego rio.

Siguió sin detenerse. Sin embargo, ni había cerrado la puerta cuando ya estaba Annie timbrando para anunciarle que ya estaba doña Karen en camino.

Karen Ardila se desvistió dejando caer la ropa al suelo. Solo la chaqueta y el bolso se los entregó en la mano. Karen se sentía ofuscada, pero prefería evitar una confrontación.

¿Qué se va a hacer?, preguntó recogiéndole los pantis, el sostén, la blusa y los zapatos del suelo.

Bikini. Completo.

Deme un momentito, doña Karen, para calentarle la cera.

Se movía con velocidad. Cortó los trozos de gasa, decidió obviar la cobija térmica, iban a hacerlo rápido por el bien de ambas. La desnudez de ese cuerpo al que tenía que dar vuelta a un lado, a otro, sus impurezas, su lunar en la cadera, sus escasos vellos en el pubis, la mancha de nacimiento cerca de la vagina, la humedad, todo le produjo náuseas.

Veía esa cuca enfrente suyo, esa cuca roja, húmeda, abierta en sus narices como una amenaza, como un insulto con olor a pescado podrido, porque a eso olía, a eso le estaba oliendo. Doña Karen la llamó por su nombre:

¿Karen? ¿Se siente bien?, está sudando.

A Karen le hubiera gustado responderle, agradecía que la llamara por su nombre, era la primera vez, pero ya para ese momento era demasiado tarde, de reojo, había visto su pelo ondulado en el espejo y sintió rabia. Tanto esfuerzo. Las arcadas no le permitieron contestarle a doña Karen y no tuvo más remedio que abandonar la cabina contraviniendo una de las reglas de la Casa, suplicando alcanzar a llegar al baño, donde vomitó sintiendo una bola de asco en su estómago.

Karen se echa agua en la cara. Saca una cuchilla de afeitar del bolsillo. La toma en su mano y se hace un corte en el antebrazo. Un ligero corrientazo recorre su cuerpo. Repite la operación tres, cuatro, siete veces. Son cortes superficiales. Quiere hacerse uno más hondo. Sangra. Abre el estuche de primeros auxilios, se pone una cura. Se baja las medias y se hace un corte más hondo en el tobillo. Deja escapar una larga bocanada de aire. Se pone otra cura. Guarda la cuchilla entre papel higiénico, la sangre es escandalosa, le mancha las medias blancas del uniforme, los zapatos también blancos. Abre el grifo y se moja el pelo con furia intentando alisarlo con la mano. Es inútil. Cada vez está más mojado y crespo. Karen está gritando. Está encerrada en el baño de la Casa intentando alisarse el pelo con agua y gritando. Se quita las medias, las enjuaga en el lavamanos, mientras tanto la canción de Los Diablitos sigue sonando en su cabeza como un disco rayado, *Y vuela, vuela, por otro mundo, y sueña sueña, que el mundo es tuyo*. Al terminar de lavarlas, y a punto de ponérselas sin importarle lo mojadas que están, nota que en el piso hay sangre, se agacha para limpiarla con una media, mientras repite el coro de la canción, *Y vuela, vuela, por otro mundo, y sueña sueña, que el mundo es tuyo*. Escucha dos golpes a la puerta, luego unos pasos, después la voz de doña Josefina, y más movimiento y más gente yendo y viniendo. Karen canta y limpia el piso con la media, pero la herida sigue sangrando, así como el corte que se ha hecho en el antebrazo.

Karen, abre la puerta.

Es la voz de doña Josefina. No recuerda mucho más. Cuando abre los ojos está en su cabina, la mujer se ha ido. Alrededor del tobillo tiene una venda, y hay gasa envolviendo su antebrazo y muñecas. Unos minutos más tarde, doña Josefina aparece en el portal de la cabina:

Sube a mi oficina, una vez te sientas mejor.

Karen cierra los ojos y se sume en un sueño profundo.

39.

Josefina de Brigard le pidió a Karen abandonar la Casa de manera inmediata. Le recomendó buscar ayuda psicológica.

Chinita, estás enferma. No puedes estar aquí. Será mejor que alguien venga a buscarte.

Karen intentó marcarle a Susana, pero no contestó, como no había vuelto a contestar nunca más. Luego me llamó, y me encontró tomando un café con Lucía. Le dije que iría enseguida a buscarla. Lucía me acompañó. La ayudamos a empacar sus cosas. Karen insistía en ver a Susana, así que me comprometí a ayudar a localizarla.

Vinimos a mi apartamento. Por primera vez, entró a mi consultorio. La acostamos en el diván. Lucía le alcanzó una cobija de alpaca con la que recubrió sus pies. Caía la tarde. Un día frío como casi todos.

Tenías razón, es bella, dijo Lucía.

Karen se quedó dormida. Un rayo de sol le partía la cara dejando un lado luminoso y el otro en la penumbra. Preparé una jarra de té. Encendimos la fuente que estaba en la terraza y daba sobre el ventanal del consultorio. El sonido del agua siempre me ayudaba a calmar los pensamientos. Esperaba que tuviera el mismo efecto sobre Karen. Lucía se puso a leer una revista de psiquiatría que tenía a la mano.

Me gustaría abrir un consultorio. ¿Estaré muy vieja para eso?

Serías muy buena, le dije.

Velamos su sueño por casi una hora. Cuando abrió los ojos era noche cerrada.

Tu eres Lucía, dijo al fin.

Así es, dijo con una sonrisa.

Era una mujer que inspiraba confianza. Tenía un rostro plácido. Sereno. Y la sonrisa era sincera. Sin embargo, Karen no lo percibió. Se fijó en sus canas, sus patas de gallina, sus dientes amarillentos. Volvió a cerrar los ojos.

¿Te quieres quedar a dormir aquí?, le pregunté.

¿Por qué hacen esto conmigo?

Porque queremos, se apresuró a responder Lucía. Estás mal y sé que ayudaste a Eduardo, fuiste su compañía en los últimos tiempos, yo lo quise muchacha, algo nos une.

Karen volvió a abrir los ojos y se la quedó mirando.

¿Qué quieren de mí?, dijo Karen.

Me gustaría contar tu historia. De hecho, nos gustaría contarla con Claire.

¿Les parece si preparo una pasta? ¿Alguien tiene hambre?, pregunté.

Yo no, dijo Karen.

Me fui a la cocina y puse en la olla unos espagueti mientras sacaba del congelador una salsa pomodoro y la ponía a calentar en una olla. No las dejé más de media hora. Una vez todo estuvo listo fui a llamarlas. Antes de golpear a la puerta las oí reír. Ya en la mesa, Karen se tomó la copa de vino como si fuese un vaso de agua y pidió más. Hizo lo mismo con la segunda y luego pidió agua antes de hablar.

Lo voy a hacer, dijo al fin.

¿Qué?, dije.

Contar.

Estupendo, eso merece un brindis.

Karen repitió pastas y aceptó tomarse un hipnótico una vez la dejáramos en casa. Era importante que tuviera un sueño reparador. Dijo haber tomado algunas de las pastillas que le había dejado. Dormía bien. A partir de ahora, yo estaría a cargo de su medicación, así como de su tratamiento psicoterapéutico. La llevamos a su apartamento. Acordamos tener una primera reunión al día siguiente, para empezar a trabajar en el libro. Le pedí llamarme si necesitaba cualquier cosa. Le dejé otra caja de Zolpidem y el teléfono a la mano. Nos despedimos con un abrazo largo.

De regreso, entre el tráfico y el aguacero, me dieron casi las nueve. Llegué exhausta, me preparé una camomila con tostadas y me senté frente al televisor. Luego de un corte de comerciales, vino la noticia que habría de darle un giro a la historia: «Un nuevo ingrediente viene a arrojar pistas sobre la muerte del maestro Eduardo Ramelli. *Noticias Hoy* pudo establecer que el autor de *La felicidad eres tú* y *Me amo* sostenía una relación clandestina con Karen Valdés (en la imagen), prostituta presuntamente implicada en la muerte del agente de la DEA, John Toll, quien falleció minutos después de un encuentro con la mujer, a manos de un taxista quien, luego de robarlo y dispararle, se dio a la fuga. Toll había pasado la noche con la mujer, quien durante el día era esteticista en el prestigioso salón La Casa de la Belleza, ubicado en la Zona Rosa de Bogotá, donde laboró hasta el día de hoy, luego de ser despedida por sus trastornos mentales y actuaciones agresivas. Las autoridades investigan la posible conexión de Valdés con la muerte de Ramelli y John Toll, al igual que el caso de la muerte, también en condiciones extrañas, de Sabrina Guzmán Paredes, en la madrugada del pasado 23 de julio. Valdés fue la última persona en ver con vida a la menor de edad, quien había ido a hacerse un tratamiento de belleza esa tarde. Por su parte, el maletín robado por el taxista, contenía un dispositivo con valiosa información de inteligencia. La DEA se une a las autoridades colombianas para esclarecer la responsabilidad de Karen Valdés en el crimen. Al momento del cierre de la noticia, no se había dado con el paradero del taxista».

A medida que avanzaba la noticia empecé a sentir una opresión en el pecho. No suelo ser una persona impulsiva. Sin embargo, esta vez no lo pensé por un segundo. Como si hubiera estado toda mi vida preparándome para cumplir este papel, me levanté de un salto. Tomé las llaves, el bolso y salí a buscar el carro. Afuera llovía como siempre. Mientras conducía hacia el apartamento de Karen, sentía mi corazón latir con fuerza. La droga daría resultado. Lo hacía siempre. Una paciente había confesado a su marido que tenía un amante desde hacía cinco años. Luego se había dado media vuelta y se había quedado dormida, como si nada. Al día siguiente se levantó sorprendida de no encontrarlo a su lado. Había olvidado por completo su confesión. En casos más drásticos, un hombre medicado con Zolpidem mató a su madre el año pasado en Bogotá. Pasa en todas partes, y hasta en las mejores familias. Él mismo llamó al 123 al día siguiente lanzando gritos a reportar el asesinato. ¡Alguien había apuñalado a su madre! Se abrió una investigación. El hombre fue el primer sorprendido al conocer los resultados. Paradójicamente fue hallado «no culpable». Solemos creer que quien comete un crimen es siempre culpable. Y sin embargo, serlo requiere del ejercicio de la voluntad. En este caso haber cometido el crimen y ser culpable eran dos cosas distintas. El problema es que si esto se aplicara a la ley, cada vez pagaríamos menos por nuestros crímenes y pecados. Andamos inconscientes de nuestros propios impulsos, deseos y elaboraciones. Somos sombras en una caverna sin salida.

El portero me abrió la puerta del parqueadero. Al fin y al cabo un par de horas antes me había visto entrar con Karen.

Siga doctora, me recibió, como si me conociera.

¿Me recuerda su nombre?

Claire, Claire Dalvard.

Siga no más, es el 402.

Tomé el ascensor. Ya frente a su puerta tuve que timbrar repetidas veces. Finalmente abrió Karen. El pelo sobre la cara. Los ojos abiertos. Sonreía. Sin duda se había tomado la pastilla. Estaba sonámbula. Respondería cualquier pregunta con honestidad.

Adelante, dijo, con el cuerpo rígido.

Me senté. Después de hacerle algunas preguntas triviales, si había cenado, qué planes tenía para el día siguiente, comprendí que estaba lista para responder en piloto automático.

Dime una cosa, ¿cómo organizaron lo del paseo millonario a John Toll?

Había llevado la grabadora que a veces usaba con mis pacientes para registrar las sesiones. La puse a grabar.

Eso fue Wilmer.

¿Wilmer? ¿Sabes su apellido?

Delgado.

¿Y llevaban mucho tiempo haciéndolo?

¿Haciéndolo?, preguntó. Luego se echó a reír.

Haciendo el paseo millonario, dije intentando no perder el hilo.

No, no mucho, en dos o tres ocasiones me preguntó dónde estaba y a qué hora había salido mi cliente, yo solo respondía, pensaba que lo hacía solo por celarme. Nunca acordamos hacerle daño a nadie. Eso no. Tampoco sabía lo del paseo millonario.

¿Y tú le querías ayudar?

Está casado con mi amiga.

¿Cuántas veces le diste el dato de un cliente?

Como cuatro o cinco. Lo hice porque él me forzó a hacerlo. Me amenazaba con contarle a Maryuri lo de nosotros. No pensé…

¿Obligaban a retirar el dinero de los cajeros de las víctimas?

Eso no lo sé, ya le dije, él solo me pedía explicarle de donde salían mis clientes y a qué hora.

¿Y Eduardo?

¿Qué cosa?, dijo.

¿Te veías con él por el dinero?, pregunté.

¿Cuál dinero?, dijo, ¿el que está en la maleta?

Después de preguntar esto, se acomodó en posición fetal sobre la cama y cayó dormida. Había dado resultado. Todo había sido tan sencillo. Abrí el clóset y ahí estaba, una maleta rígida y oscura. La abrí. Adentro había una cantidad inverosímil de dinero en fajos de cinco centímetros de cien y quinientos dólares. Volví a ponerla en su lugar, me levanté y me fui. La lluvia no daba tregua. En el camino de regreso no pude evitar sentir una ligera excitación. De repente tenía el papel protagónico. Veía claro. Pasé por alto las señales de alarma. Como algunos de mis pacientes adictos, tenía la sensación de estar presenciando una epifanía. Pensé que por la empatía que sentía hacia Karen, no había sido capaz de cuestionarla. Quizá porque la veía con cierta condescendencia, con lástima o desde la culpa que sentimos algunos de quienes lo tenemos todo. No era más que una víctima de mi supuesta superioridad. Me había sentido halagada de ser la confidente de una belleza de pueblo, de apariencia humilde y reservada. Mi ego me había llevado a seguirla escuchando, a buscarla y ofrecerle mi ayuda, sin llegar a observar que estaba siendo manipulada. Mi supuesta función como psicoanalista era quitarle el velo a mis pacientes, ese que todos vamos construyendo dentro de nosotros mismos acerca del mundo que nos rodea. Las deformaciones de la realidad nos permiten protegernos del sufrimiento, pero al mismo tiempo nos vendan la mirada.

Mi intuición ha dejado de ser confiable. Vi en Karen a una persona delicada. Consciente incluso del menor de sus gestos. Plena. Despierta. Atenta. Afectuosa. Espontánea. Buena. Y todo era un engaño. Karen no es más que una asesina a sangre fría, una mujer que acabó con la vida del marido de mi amiga, que incluso tuvo el descaro de contarme sobre una de sus víctimas haciéndose la mártir. Conquistó mi compasión y me vendió una historia completamente opuesta a la realidad: Karen no era más que una puta viciada por la ambición hasta el punto de ser capaz de matar por dinero.

Llegué a casa casi a medianoche. Decidí no llamar a Lucía. Me tomé la pastilla para el sueño, cerré los ojos, fue inútil, di vueltas en la cama, me levanté, encendí la luz, eran las dos de la mañana, me tomé otra pastilla para dormir, apagué la luz, solo veía a Karen con su cara de buena, Karen hablándome de su hijo Emiliano, Karen al principio usando ropa comprada en San Victorino y meses más tarde con una gabardina fina, unas botas, un bolso de cuero genuino. ¿Pero cómo no me di cuenta?, ¿cómo pude no haberlo visto antes?, Karen quejándose de las cuentas por pagar, Karen sufriendo, Karen haciéndose daño, Karen pasándose la mano por el pelo, Karen sonriendo, Karen de perfil con la mano en la cintura, Karen acariciando mi espalda, Karen provocándome, perturbando mi cordura con su sensualidad descontrolada. Sus conductas eran tan de manual, como si fuera una novata en el oficio. Karen era una sociópata, no sería de extrañar que fuese capaz de cualquier cosa, seguro la primera vez que me vio entrar a la Casa dijo, esa es la persona que necesito. Por eso se abalanzó sobre mí, fui su presa y no pude verlo porque Karen tiene ese poder, ella lo sabe, su belleza es un arma, por eso me miraba de esa manera, por eso su tacto con mi piel tenía esa forma de instalarse en ella; he debido sospechar de nuestras conversaciones, las risas compartidas, esa falsa complicidad que iba creciendo al interior de la cabina, encendí la luz, ya eran las cinco, necesitaba dormir, no estaba pensando bien, sentí la boca pastosa, me levanté, me serví un vaso de agua, me lo bebí a grandes sorbos, volví a ver su cara de niña ojerosa, su ceño fruncido mientras calentaba la cera, y su abdomen plano, sus pechos erguidos, su cuerpo espigado y largo, el mentón quebrado y su boca, esa boca pulposa, exquisita como una fresa salvaje.

40.

Cuando Luz me despertó, ya había llegado mi primer paciente. Tuve que enjuagarme la cara, cambiarme de prisa y entrar a consulta. Estuve más bien distraída, no podía sacarme a Karen de la cabeza. Atendí un par de pacientes más y al mediodía tomé la agenda y llamé a cancelar las citas de la tarde. Luego llamé a la policía, dije tener información sobre el caso Toll. Me dieron otro número y después de muchas vueltas me comunicaron con el fiscal encargado. Dijo que acababa de ser designado al caso, pues el anterior había sido ascendido. Al parecer querían resultados cuanto antes. Me dio cita en su despacho esa misma tarde.

Almorcé de prisa y tomé un taxi. El fiscal era un hombre mayor. Quise saber qué había pasado con el anterior, no entró en detalles, dijo que eran órdenes de arriba. No podía darme más detalles.

Ahora comprendo que actuaba desde el despecho, el deseo de venganza. Me sentía traicionada, por eso no pude pensar en lo que estaba a punto de hacer. Fui directa. Hablé por cerca de un cuarto de hora. Le di la grabación, así como la dirección de Karen. Le expliqué dónde encontrar la maleta. Prometió que mi nombre permanecería en el anonimato. Le di las gracias. Sentí cierto alivio, al menos momentáneo, pues ya en el taxi de vuelta empecé a dudar. La actitud del fiscal no me parecía del todo confiable. Había dicho: «La tesis actual propone que Karen contrató a una persona para contactar por Facebook a Sabrina, citarla en un lugar, con las instrucciones de hacerle daño». Según ellos, lo había hecho porque estaba enamorada de Eduardo, a quien Sabrina perseguía.

La típica historia del triángulo pasional, agregó el fiscal. ¿La tesis actual? Me dije. ¿Y quien proponía una tesis, o quien estaba detrás de esta rebuscada historia del «triángulo pasional»?

«Las compañeras del salón refuerzan la teoría de su deterioro mental; sin duda, como usted lo dice doctora, se trata de una persona desequilibrada», insistió el fiscal. Dudé. Estaba ya llegando a mi casa.

Cuando le pregunté quién les había hablado de la relación entre Sabrina Guzmán y Ramelli, dijo el fiscal que había sido «un informante anónimo». ¿Y si ese informante anónimo era Diazgranados? ¿Y si era él quien estaba detrás de un montaje? Dejé el carro en el sótano y subí al ascensor. Apenas entré a casa, sonó mi celular. Era Lucía. No fui capaz de contestar. Le pedí una tisana a Luz, pensaba tumbarme en la cama, intentar descansar antes de hacer cualquier otra cosa. Al sentarme vi titilar la luz del mensaje al otro lado de la habitación. Me acerqué al teléfono, oprimí el botón y escuché la voz de Consuelo Paredes diciendo que quería verme. «Karen Valdés me dijo que la contactara, tengo información sobre la muerte de Sabrina Guzmán, soy su madre». Enseguida le devolví la llamada. Acordamos vernos una hora más tarde en Il Pomeriggio. El tiempo se pasó lento. Una y otra vez repasaba mentalmente lo ocurrido en los últimos días. Finalmente llegué hasta el lugar caminando. La encontré sentada afuera, con unas gafas grandes de marco dorado y el pelo cubriéndole la cara.

¿Es usted Claire?, dijo al verme.

Así es, dije, ¿cómo lo supo?

Supongo que el aspecto coincide con el nombre, dijo. Se alzó las gafas. Tenía unas ojeras profundas de ojos rojos.

Mucho gusto, Consuelo Paredes.

Claire Dalvard.

Me temblaba el pulso. Nos sentamos cerca de la fuente de agua. Había dejado de llover pero el día era frío, un frío seco que se cuela en los huesos.

¿Fue Karen quien le habló de mí?, pregunté.

Así es, parece sorprendida.

Un poco. ¿Qué le dijo Karen?

Me dijo que confiaba en usted.

Sentí que el corazón se me encogía.

Claire, creo que ella está en peligro. Verá. Sé que cambiaron al fiscal encargado. Hablé con un abogado penalista. El me explicó que a veces hacen esto cuando quieren «muñequear» un proceso, como dicen coloquialmente.

No entiendo.

Alguien quiere darle un giro a una investigación, entonces cambian al fiscal encargado, al investigador de la CTI, y a estos ya los traen comprados, con una tesis prefabricada, un culpable, una coartada.

¿Y quien estaría detrás de esto?, pregunté, aunque ya conocía la respuesta.

Aníbal Diazgranados. ¿Sabía usted que es el padre de quien creemos que mató a mi niña?

No tenía ni idea, mentí. ¿Pero tiene alguna prueba?

Justo de eso quería hablarle.

El mesero se acercó. ¿Desean ordenar?

Para mí un capuchino, dijo Consuelo Paredes.

Yo una ginebra con tónica, por favor.

Cuénteme, dije, sintiendo la garganta seca.

Para hacerle corta la historia, contratamos un detective privado con mucha experiencia. El consiguió una nota en la habitación de Sabrina, la firmaba LAD.

¿Luis Armando Diazgranados?

Eso mismo. El investigador consiguió una muestra de la escritura del joven y se hizo la prueba grafológica.

¿Dio positivo?

Así es, respondió Consuelo Paredes.

¿Y esta prueba sirve para vincularlo a él a la muerte de su hija?

Lo vamos a intentar, aunque al parecer los que están llevando el caso no la van a considerar. Dicen que se consiguió por medios ilegales, luego no tiene validez.

No puede ser, dije.

Mi abogado renunció porque lo amenazaron de muerte. Claire, esto es grave. Alguien quiere incriminar a Karen por la muerte de mi hija y así cuidarle la espalda a Diazgranados.

¿Qué le hace pensar eso?

El Facebook de mi hija fue intervenido. Al menos eso corroboró Kollak. Lo hizo la nueva unidad de investigación que está llevando el caso. Quieren hacer un montaje sobre la cita de esa noche en la que ella murió.

¿Kollak?

El detective.

¿Se llama Kollak, como el de la serie de televisión?

Sí, dijo Consuelo impaciente.

Está bien, dije sorbiendo un trago largo de ginebra. No tenía nada que añadir.

Esperaba más apoyo de su parte, la verdad. La noto un poco indiferente, lo único que les falta para culpar a Karen de tres homicidios es una prueba vinculante, nada más. Y mientras tanto, Luis Armando anda libre y el desgraciado responsable de la muerte de Toll, también. ¿Entiende que la pueden extraditar? La DEA está detrás de esto. El gobierno quiere entregarles a alguien y la muchacha acabaría siendo el chivo expiatorio por la muerte de Sabrina, Ramelli y el agente Toll sin haberle hecho daño a ninguno.

Me sentí mareada.

Se puso pálida, dijo Consuelo. ¿Se siente bien?, me preguntó.

Claire, ¿es que no lo ve? Si Karen cometió un delito fue haber sido una prepago, ¡pero eso es muy distinto a ser una asesina!

¿Y cómo sabe todo eso?

Kollak. Él contactó a Susana, una colega de Karen en el salón. Dijo que Karen era prepago, que en efecto tenía una relación con Wilmer Delgado, aunque no sabía que él robara a los clientes de Karen, ni que tuvieran algún tipo de acuerdo ellos dos, solo sabía que tenía un taxi y era el esposo de una amiga suya. Dijo estar segura de que Karen no era una delincuente. El problema es que si Aníbal Diazgranados está detrás de esto, a él le quedará muy fácil vincularla a los otros casos.

¿Y el taxista, el que llevó a Sabrina a la San Blas? ¿No lo han buscado? Pregunté.

Kollak se dio cita con él en un billar hace un par de días. El tipo no llegó a la cita. Luego supimos que hace seis días fue reportado como desaparecido.

Tengo que irme.

Yo pago, dijo Consuelo con sequedad. Parecía molesta. Si tiene que irse váyase, añadió.

¿Tienen alguna prueba para incriminar a Karen?

Tienen un video de ella entrando con Toll al motel donde se dieron cita. Eso le hace daño, pero no prueba que estuviera involucrada en el asesinato. Personalmente no creo que fuera el caso.

¿Qué cree usted?

Creo que ella atendió a mi hija en la Casa, luego se enredó con Ramelli y lo mismo con Wilmer, pero nunca mató a nadie.

Yo permanecía en silencio.

¿Pero si no hay una evidencia, no pueden culparla, o sí?

Sí pueden. Para mandar a alguien a la cárcel se necesitan tres cosas: causa, motivo y oportunidad. Aquí ya armaron el caso con la sagrada trinidad. Y con lo corruptos que son, no se sorprenda si aparece una prueba.

Luego de un largo silencio buscando algo que decir, me levanté con dificultad.

La verdad, estoy sorprendida, Claire. Me dijo Karen que usted es como una madre para ella, que acudiera a usted si había una emergencia; le digo que está a punto de ser injustamente procesada y que puede acabar en la cárcel por un crimen que no cometió, y usted no reacciona.

¿Qué pasó con Susana?

¿Eso es todo lo que le interesa saber?

Discúlpeme, siento no serle de más ayuda, tengo que irme, dije. Y me alejé casi corriendo.

41.

Día 1.

Me desperté entre voces extrañas, olor a sudor revuelto con orines. Aunque parecía de noche, una voz dijo:

Muévase, nueva. O se queda sin desayuno.

Una mujer pasó por encima mío y su chancla rozó la punta de mi nariz. Estaba tumbada en el suelo. A mi lado, en una bolsa de plástico, había un vaso y un tarro de metal. Los tomé y las seguí. Apenas si veía las siluetas. Me levanté con dificultad. Me dolía la cabeza. Llegamos a un pasillo oscuro rodeado por barrotes. Bajamos dos pisos de escalera y atravesamos una reja, para llegar a otro pasillo. Llegamos a un patio donde había una larga fila. Avanzamos poco a poco hasta un pabellón con piso de cemento y paredes de baldosín blanco, como de baño. La fila se extendía y por lo bajo que

era el techo, las voces de las mujeres hacían eco.
Las seguí. La fila era larga y lenta. En la pared había
agujeros de donde se alargaba una mano sin rostro con un cucharón. Del primer agujero me ten-
dieron un pan duro que fue a dar en el tarro; del
siguiente cayó algo parecido a un huevo lechoso
mezclado con trocitos de una carne rosa y en la tercera servían café aguado y tibio con natas de leche
que puse en mi vaso. Luego las mujeres salían al
pasillo y a media luz se iba sentando en pequeños
grupos. La comida tenía un olor rancio. No quise
probarla. Caminé hasta donde una mujer de ojos
azules, a quien las demás llamaban dragoneante.
Le pregunté dónde estaba. Me explicó que estaba
en la cárcel el Buen Pastor. Le hice otras preguntas, pero me dio la espalda y se fue. Me quedé ahí
parada, como un fantasma en medio del pasillo y
las voces. Había llegado, me dije. Había llegado por
fin al purgatorio.

A mis espaldas dos mujeres reían. El tarro y el
vaso fueron a dar al suelo, perdí la respiración, una
mujer se acercó corriendo y tomó del suelo mi pan
y los restos de comida con violencia. Luego ya no
recuerdo más de ese día. Ni siquiera el llanto incon-
trolable, ni haberme meado encima como dicen
que ocurrió. Cuando desperté era de noche. Estaba
otra vez tumbada en el suelo. En la celda hay cuatro literas, pero somos ocho mujeres. La que está

a mi lado tiene una pesadilla. Grita. Abro los ojos y vuelvo a ahogarme. Tengo tanto miedo que no puedo gritar.

Día 13

Desde que llegué aquí no duermo. Y mejor así porque cuando me quedo dormida, al despertar recuerdo dónde estoy y se me va el aire, después solo hay más llanto.

He tenido un recuerdo encima mío como una cobija sofocante: es el mantelito de flores violeta que sacaba mi mamá para los cumpleaños, recuerdo el mantelito y me entran ganas de llorar.

Día 21

Poco a poco me acostumbro al olor a sudor revuelto, a cargar con mi tarro y mi vaso plástico por el pasillo antes del amanecer para buscar el desayuno, a los gritos cada vez que una mujer recibe su condena, a la idea de un Dios que aprieta pero no ahorca, a las tristes fiestas de despedida cuando una reclusa consigue su libertad, a no ver la luna ni las estrellas, a no poder tomarme un vaso de agua aunque tenga sed, a aguantarme las ganas de mear a deshoras, a hacer fila para cagar, fila para comer, fila para ducharme y a no dormir. Pero no me acostumbro a estas ganas de morirme.

Día 36

Tres veces he empezado una carta para Emiliano, pero me quedo mirando la hoja en blanco y se me vienen las lágrimas.

Día 49

A veces me siento viviendo en un zoológico.

Día 73

Escribo porque Claire me pidió hacerlo. Ya ella terminó de escribir el libro. Lucía lo está revisando, a veces le hace algún comentario para añadir o quitar alguna cosa. Quieren que lo lea después de todo para ver si me parece o no me parece. A mí nada me va a parecer. Dicen que el libro va a ayudar a demostrar mi inocencia.

Pero ya es demasiado tarde. Estar aquí adentro me convirtió en culpable.

Día 93

Desde que estoy aquí he aprendido a leer las caras. Claire volvió a venir otra vez cargada de disculpas y regalos, toda olorosa a rosas y lavanda. Me quedé mirando sus manos. La noté cansada. Me contó que se vuelve a Francia, no se pudo encontrar bien en Colombia y siente que ya no puede hacer mucho por mí. Eso dijo. Me dijo que hace pocos días abalearon a Luis Armando Diazgranados a pleno día, en una calle cualquiera. Recordé a Sabrina Guzmán y sentí un alivio momentáneo. Me pregunté quién le estaría haciendo la cera a Claire, quién le haría masajes.

Día 99

La semana entrante vendrá Lucía a buscar estas páginas. Así le pondremos punto final al libro que escribió Claire y a esta historia mía.

No me importa que volvieran a aplazar la audiencia, ni me importa que Susana haya venido a visitarme, ahora casada y rezandera, a decirme que me perdona. Ya no voy a cocinar como antes, ya no quiero más pensar en el mundo de afuera, ya el mundo de afuera me abandonó, como me abandonaron las ganas de todo, hasta de escribirle a Emiliano. Esas ganitas poquitas que me quedaban se me fueron del cuerpo y solo tengo tristeza corriendo por mis venas. Estoy malherida y prefiero morirme aquí encerrada a tener que volver afuera.

La otra noche la escuché. Cuentan que hubo una mujer que se ahorcó con las sábanas y al día siguiente encontraron un zapato de tacón rojo colgando de su pié. Desde ese día no tenemos derecho a usar sábanas, y la taconera se pasea antes de que muera una interna. A la hora del desayuno les conté que la había escuchado. Primero no me creyeron. Después se pusieron a hacer apuestas de quien sería la próxima en morir. Desde que estoy aquí ha muerto una muchacha. Más o menos dicen que son dos por año. Quizá esa sea otra manera de medir el tiempo. Quizá hoy por fin venga la taconera por mí. Quizá hoy por fin sea el día de mi suerte.

Agradecimientos

A *Santa Fe University of Art and Design*, en Santa Fe Nuevo México, por haberme dado tiempo y espacio para escribir, muy especialmente a María Alexandra Vélez por hacerlo posible.

A Santiago Salazar, Guillermo Puyana, Sandra Navas, Laura Escobar y John Jairo Muñoz, por la valiosa información que contribuyó a darle consistencia a esta historia.

A quienes ayudaron a madurar el texto: Camila Segura, Paola Caballero, Laura Escobar y Carlos Castillo Quintero.

A Ricardo Silva Romero, por ser una de las primeras personas que me escuchó atentamente hablar de esta historia.

A Andrés Burgos, por darme las claves de Claire y ayudarme a encontrar un desenlace.

A Marcel Ventura, por su rigor, lucidez y delicadeza en el difícil ejercicio de ir puliendo el texto hasta llegar a su versión final.

A mis cuñadas y hermanas, por ayudarme a despejar el tiempo y el espacio para escribir.

A mi mamá, Myriam de Nogales, por su amoroso interés en mi trabajo.

A Ricardo Ávila, la estrella y el motor.

Bogotá, diciembre 12 de 2014

emecé

España
Av. Diagonal, 662-664
08034 Barcelona (España)
Tel. (34) 93 492 80 00
Fax (34) 93 492 85 65
Mail: info@planetaint.com
www.planeta.es

Paseo Recoletos, 4, 3.ª planta
28001 Madrid (España)
Tel. (34) 91 423 03 00
Fax (34) 91 423 03 25
Mail: info@planetaint.com
www.planeta.es

Argentina
Av. Independencia, 1668
C1100 Buenos Aires
(Argentina)
Tel. (5411) 4124 91 00
Fax (5411) 4124 91 90
Mail: info@eplaneta.com.ar
www.editorialplaneta.com.ar

Brasil
Av. Francisco Matarazzo,
1500, 3.º andar, Conj. 32
Edificio New York
05001-100 São Paulo (Brasil)
Tel. (5511) 3087 88 88
Fax (5511) 3087 88 90
Mail: ventas@editoraplaneta.com.br
www.editoriaplaneta.com.br

Chile
Av. Andrés Bello, 2115, piso 8
Providencia
Santiago (Chile)
Tel. (562) 2652 29 27
Fax (562) 2652 29 12
Mail: info@planeta.cl
www.editorialplaneta.cl

Colombia
Calle 73, 7-60, pisos 7 al 11
Bogotá, D.C. (Colombia)
Tel. (571) 607 99 97
Fax (571) 607 99 76
Mail: info@planeta.com.co
www.editorialplaneta.com.co

Ecuador
Whymper, N27-166,
y Francisco de Orellana
Quito (Ecuador)
Tel. (5932) 290 89 99
Fax (5932) 250 72 34
Mail: planeta@access.net.ec

México
Masaryk 111, piso 2.º
Colonia Chapultepec Morales
Delegación Miguel Hidalgo 11560
México, D.F. (México)
Tel. (52) 55 3000 62 00
Fax (52) 55 5002 91 54
Mail: info@planeta.com.mx
www.editorialplaneta.com.mx
www.planeta.com.mx

Perú
Av. Santa Cruz, 244
San Isidro, Lima (Perú)
Tel. (511) 440 98 98
Fax (511) 422 46 50
Mail: rrosales@eplaneta.com.pe

Portugal
Rua do Loreto, 16-1.º D
1200-242 Lisboa (Portugal)
Tel. (351) 21 340 85 20
Fax (351) 21 340 85 26
Mail: info@planeta.pt
www.planeta.pt
www.facebook.com/planetaportugal

Uruguay
Cuareim, 1647
11100 Montevideo (Uruguay)
Tel. (5982) 901 40 26
Fax (5982) 902 25 50
Mail: info@planeta.com.uy
www.editorialplaneta.com.uy

Venezuela
Final Av. Libertador,
Torre Exa, piso 3.º, of. 301
El Rosal, Caracas 1060 (Venezuela)
Tel. (58212) 952 35 33
Fax (58212) 953 05 29
Mail: info@planeta.com.ve
www.editorialplaneta.com.ve

Grupo 🌐 Planeta   Emecé es un sello editorial del Grupo Planeta   www.planeta.es